UNIVERSALE
ECONOMICA
FELTRINELLI / SAGGI

Piano delle *Opere* di Umberto Galimberti:

Altre opere in Feltrinelli:

UMBERTO GALIMBERTI
Le cose dell'amore

Opere XV

© Giangiacomo Feltrinelli Editore Milano
Prima edizione nell'"Universale Economica" – SUPER UE ottobre 2004
Prima edizione nell'"Universale Economica" – SAGGI settembre 2013
Undicesima edizione settembre 2023

Stampa Elcograf S.p.a. – Stabilimento di Cles (TN)

ISBN 978-88-07-88200-5

Alcuni di questi capitoli sono stati anticipati su "Repubblica" nelle estati del 2003 e
del 2004. In particolare, nel 2003 sono comparsi estratti dei capitoli relativi a: il desiderio, l'idealizzazione, l'odio, il tradimento e la follia; mentre, nel 2004, estratti dei capitoli relativi a: la seduzione, il pudore, la perversione, la solitudine, il denaro, il matrimonio e il linguaggio. Ringrazio il direttore di "Repubblica" Ezio Mauro per avermi concesso di recuperare questi testi e integrarli nel libro.

www.feltrinellieditore.it
Libri in uscita, interviste, reading,
commenti e percorsi di lettura.
Aggiornamenti quotidiani

razzismobruttastoria.net

A Tatjana,
per ragioni che mi sono
in parte note e in parte ignote.

Gli amanti che passano la vita insieme non sanno dire che cosa vogliono l'uno dall'altro. Non si può certo credere che solo per il commercio dei piaceri carnali essi provano una passione così ardente a essere insieme. È allora evidente che l'anima di ciascuno vuole altra cosa che non è capace di dire, e perciò la esprime con vaghi presagi, come divinando da un fondo enigmatico e buio.

PLATONE, *Simposio*, 192 c-d.

Introduzione

Perché un libro sull'amore? Perché, rispetto alle epoche che ci hanno preceduto, nell'età della tecnica l'amore ha cambiato radicalmente forma.[1] Da un lato è diventato *l'unico spazio* in cui l'individuo può esprimere davvero se stesso, al di fuori dei ruoli che è costretto ad assumere in una società tecnicamente organizzata, dall'altro lato questo spazio, essendo l'unico in cui l'io può dispiegare se stesso e giocarsi la sua libertà fuori da qualsiasi regola e ordinamento precostituito, è diventato il luogo della *radicalizzazione dell'individualismo*, dove uomini e donne cercano nel tu il proprio io, e nella relazione non tanto il rapporto con l'altro, quanto la possibilità di realizzare il proprio sé profondo, che non trova più espressione in una società tecnicamente organizzata, che declina l'identità di ciascuno di noi nella sua idoneità e funzionalità al sistema di appartenenza.

Per effetto di questa strana combinazione, nella nostra epoca l'amore diventa *indispensabile* per la propria realizzazione come mai lo era stato prima, e al tempo stesso *impossibile* perché, nella relazione d'amore, ciò che si cerca non è l'altro, ma, attraverso l'altro, la realizzazione di sé.

Nelle società tradizionali, da cui la tecnica ci ha emancipato, vi era poco spazio per le scelte del singolo e la ricerca della propria identità. Fatta eccezione per singoli gruppi e minoranze elitarie che potevano permettersi il lusso di avere desideri di realizzazione personale, l'amo-

---

[1] Per un'adeguata comprensione della trasformazione che, nell'età della tecnica, hanno subìto i concetti di "individuo", "identità", "libertà", "ruolo", "funzionalità" che ricorrono in questa *Introduzione* si veda U. Galimberti, *Psiche e techne. L'uomo nell'età della tecnica*, Feltrinelli, Milano 1999.

re non sanciva tanto la relazione tra due persone, quanto l'unione di due famiglie o gruppi parentali che, attraverso il veicolo dell'amore, potevano acquisire sicurezza economica, forza lavoro per l'impresa familiare, avere eredi, assicurare il possesso esistente e, nel caso dei privilegiati, ampliare il patrimonio e il prestigio.

Oggi l'unione di due persone non è più condizionata dalla lotta quotidiana per la sopravvivenza, o dal mantenimento e dall'ampliamento della propria condizione di privilegio sociale e di prestigio, ma è il frutto di una *scelta individuale* che avviene in nome dell'amore, sulla quale le condizioni economiche, le condizioni di classe o di ceto, la famiglia, lo Stato, il diritto, la Chiesa non hanno più influenza e non esercitano più alcun potere, sia in ordine al matrimonio dove due persone in completa autonomia si scelgono, sia in ordine alla separazione e al divorzio dove, in altrettanta autonomia, i due si congedano.

L'amore perde così tutti i suoi legami sociali e diventa un *assoluto* (*solutus ab*, sciolto da tutto), in cui ciascuno può liberare quel profondo se stesso che non può esprimere nei ruoli che occupa nell'ambito sociale.

In questo modo tra *intimità* e *società* non c'è più scambio, osmosi, relazione. Nella società ciascuno è funzionario ed esecutore di azioni descritte e prescritte dall'apparato di appartenenza, nell'amore ha lo spazio per essere se stesso, reperire la propria identità profonda al di là di quella declinata nel ruolo, cercare la propria realizzazione e l'espressione di sé. Autenticità, sincerità, verità, individuazione trovano nell'amore quello spazio che la società, regolata dalla razionalità della tecnica, non concede più.

L'amore diventa a questo punto la misura del *senso della vita*, e non ha altro fondamento che in se stesso, cioè negli individui che lo vivono, i quali, nell'amore, rifiutano il calcolo, l'interesse, il raggiungimento di uno scopo, persino la responsabilità che l'agire sociale richiede, per reperire quella spontaneità, sincerità, autenticità, intimità che nella società non è più possibile esprimere.

Come controaltare della realtà sociale, dove a nessuno è concesso di essere se stesso perché ciascuno deve essere come l'apparato lo vuole, l'amore diventa l'unico ricettacolo di senso rispetto a una vita considerata alienata, il luogo dell'individuazione, lo spazio per l'esercizio della propria libertà fino ai limiti dell'anarchia, perché là dove il diritto del sentimento è considerato assoluto e divinizzato come unica e autentica via per la realizzazione di sé, che cosa ci difende dalla natura del sentimento che ha come sue caratteristiche l'*instabilità* e la *mutevolezza*? Nulla. E perciò in amore costruzione e distruzione avvengono insieme, esaltazione e desolazione camminano affiancate, realizzazione di sé e perdita di sé hanno intimi confini.

Slegato da ogni vincolo sociale cui la tradizione l'aveva connesso, nell'età della tecnica l'amore è nelle sole mani degli individui che si incontrano e ha il suo fondamento nel segreto della loro intimità, unico luogo dove trovano espressione le esigenze più personali e imprescindibili. Contro la realtà delle astrazioni, delle statistiche, dei numeri, delle formule, delle funzionalità, dei ruoli, l'amore esprime la realtà degli individui che rifiutano di lasciarsi assorbire totalmente dal regime della *razionalità* che più si espande e diventa totalizzante, più rende attraente nell'amore l'*irrazionalità* che lo governa.

Come unico spazio rimasto per essere davvero se stessi, l'amore diviene la sola risposta all'*anonimato sociale* e a quella radicale *solitudine* determinata, nell'età della tecnica, dalla frammentazione di tutti i legami. Sentendosi *attori* in un mondo regolato esclusivamente da *meccanismi*, gli innamorati non riconoscono alcuna istanza sovraordinata al loro amore, che non ha altro fondamento o altro obbligo se non nella loro libera scelta. E se un tempo l'amore si infrangeva di fronte alle convenzioni sociali, oggi appare l'unico rifugio che salva l'individuo da queste convenzioni, in cui nessuno ha l'impressione di poter essere veramente se stesso.

È come se l'amore reclamasse, contro la realtà regolata dalla razionalità tecnica, una propria realtà che consenta a ciascuno, attraverso la relazione con l'altro, di realizzare se stesso. E in primo piano, naturalmente, non c'è l'altro, ma *se stesso*. E questo di *necessità*, quindi al di fuori di ogni buona o cattiva volontà, perché a chi sente di vivere in una società che non gli concede alcun contatto autentico con il proprio sé, come si può negare di cercare nell'amore quel sé di cui ha bisogno per vivere e che altrove non reperisce?

Ma così l'amore si avvolge nel suo enigma: il desiderare, lo sperare, l'intravedere una possibilità di *realizzazione per se stessi* cozzano con la natura dell'amore che è essenzialmente *relazione all'altro*, dove i due smettono di impersonare ruoli, di compiere azioni orientate a uno scopo e, nella ricerca della propria autenticità, diventano qualcosa di diverso rispetto a ciò che erano prima della relazione, svelano l'uno all'altro diverse realtà, si creano vicendevolmente ex novo, *cercando nel tu il proprio se stesso*.

Se tutto ciò è vero, nell'età della tecnica, dove sembrano frantumati tutti i legami sociali, l'amore, più che una relazione all'altro, appare come un *culto esasperato della soggettività*, in perfetta coerenza con l'esasperato individualismo cui non cessa di educarci la nostra cultura, per la quale l'altro è solo un mezzo per l'accrescimento di sé.

E così, nell'età della tecnica e della ragione strumentale, dove non c'è azione che non sia rigorosamente diretta a uno scopo, l'amore, che all'individuo appare come salvezza residua da questo scenario ineluttabile, finisce paradossalmente per confermare questo stesso scenario nel regime dell'intimità, dove *il tu è funzionale all'io*, proteso alla ricerca di sé e del proprio riscatto dall'anonimato sociale spinto fino ai limiti dell'insignificanza.

Come filosofia dell'io piegato in senso biografico-terapeutico, l'amore ha la radice dei propri entusiasmi e delle proprie sofferenze non tanto, come si crede, nelle risultanze biografiche della prima infanzia, suscettibili di trattamento psicoterapeutico, quanto nella sua *logica interna*, nella quale l'identità chiusa di ciascuno di noi fa esperienza della sua esposizione all'altro, per tornare disillusa dalla scoperta che l'altro era solo un pretesto per quella realizzazione di sé che, in una società regolata dalla razionalità tecnica, sembra non disponga di altro luogo espressivo che non sia quello dell'*intimità*.

Ma quando l'intimità è cercata per sé e non per l'altro, l'individuo non esce dalla sua solitudine e tanto meno dalla sua impermeabilità, perché già nell'intenzione di reperire se stesso nell'amore egli ha bloccato ogni moto di trascendenza, di eccedenza, di ulteriorità, capace di mettere in gioco la sua autosufficienza intransitiva e di aprire una breccia o anche una ferita nella sua identità protetta. Una sorta di rottura di sé perché l'altro lo attraversi. Questo è l'amore.

Non una ricerca di sé, ma dell'altro, che sia in grado, naturalmente a nostro rischio, di spezzare la nostra autonomia, di alterare la nostra identità, squilibrandola nelle sue difese. L'*altro*, infatti, se non passa vicino a me come noi passiamo vicino ai muri, mi *altera*. E senza questa *alterazione* che mi spezza, mi incrina, mi espone, come posso essere attraversato dall'altro, che è poi il solo che può consentirmi di essere, oltre che me stesso, altro da me?

L'amore non è ricerca della propria segreta soggettività, che non si riesce a reperire nel vivere sociale. Amore è piuttosto l'*espropriazione della soggettività*, è l'essere trascinato del soggetto oltre la sua identità, è il suo concedersi a questo trascinamento, perché solo l'altro può liberarci dal peso di una soggettività che non sa che fare di se stessa.

Che cos'è quel desiderarsi degli amanti, quel loro cercarsi e toccarsi se non un tentativo di *violare i loro esseri* nella speranza di accedere a quel vertice morale che è la comunicazione vera, al di là di quella finta comunicazione a cui ci obbliga la nostra cultura della funzionalità e dell'efficienza?

Per essere davvero il controaltare della tecnica e della ragione strumentale che la governa, amore non può essere la ricerca di sé che passa attraverso la strumentalizzazione dell'altro, ma deve essere un'*incondizionata consegna di sé all'alterità* che incrina la nostra identità, non per evadere dalla nostra solitudine, né per fondersi con l'identità dell'altro, ma per aprirla a ciò che noi non siamo, al *nulla di noi*.

Allora davvero l'amore si pone come radicale sovvertimento della stabilità, dell'ordine, dell'identità, della pro-

1) al non io

prietà che, per usare la metafora jaspersiana,[2] sono regolati dalla legge del giorno (*das Gesetz des Tages*) che nulla sa della passione per la notte (*die Leidenschaft zur Nacht*) che inabissa ogni stabilità e ogni identità diurna perché possa farsi strada amore.

E, con amore, l'altro, non perché io possa reperire il senso profondo di me stesso, ma perché possa perdere quel me stesso diurno che non mi consente di accedere a quella notte dell'indifferenziato[3] da cui un giorno siamo emersi, ma con cui sarebbe estremamente pericoloso perdere i contatti.

Per questo diciamo che amore non è una cosa tranquilla, non è delicatezza, confidenza, conforto. Amore non è comprensione, condivisione, gentilezza, rispetto, passione che tocca l'anima o che contamina i corpi. Amore non è silenzio, domanda, risposta, suggello di fede eterna, lacerazione di intenzioni un tempo congiunte, tradimento di promesse mancate, naufragio di sogni svegliati. Amore è violazione dell'integrità degli individui, è toccare con mano i limiti dell'uomo.

---

[2] K. Jaspers, *Philosophie* (1932-1955): III *Metaphysik*; tr. it. *Filosofia*, Libro III: *Metafisica*, Utet, Torino 1978, pp. 1040-1056.
[3] A proposito della "notte dell'indifferenziato" che antecede la nascita dell'uomo, che con la sua ragione instaura le differenze, si veda U. Galimberti, *Orme del sacro. Il cristianesimo e la desacralizzazione del sacro*, Feltrinelli, Milano 2000, e in particolare il saggio introduttivo: "Sul sacro", pp. 13-34.

1.

Amore e trascendenza

L'amore non è solo una vicenda umana

> Se esci dal tuo Io, sia pure per gli occhi belli di una zingara, sai cosa domandi a Dio e perché corri dietro di Lui.
>
> Ch. Yannaras, *Variazioni sul Cantico dei cantici* (1989), p. 25.

A differenza dell'animale l'uomo sa di dover morire. Questa consapevolezza lo obbliga al pensiero dell'*ulteriorità* che resta tale comunque la si pensi abitata: da Dio o dal nulla. Ciò fa del futuro l'incognita dell'uomo e la traccia nascosta della sua angoscia segreta. Non ci si angoscia per "questo" o per "quello", ma per il nulla che ci precede e che ci attende. Ed essendoci il nulla all'ingresso e all'uscita della nostra vita, insopprimibile sorge la domanda che chiede il senso del nostro esistere. Un esistere per nulla o per Dio?

Ma qui siamo già nel repertorio delle risposte, delle argomentazioni, delle conversioni, delle disperazioni. Io vorrei trovare l'essenza dell'amore che, come vuole Norman Brown, "è toglimento di morte (*a-mors*)",[1] prima di queste domande e risposte, vorrei trovarla là dove l'uomo tende il suo urlo, anche sommesso, al di là dell'esistenza e chiede ascolto. Chiama questo ascolto Dio: *ignoto Tu*, che supplisce all'indifferenza della terra e delle macchinazioni che si compiono sulla terra.[2]

Sembra, infatti, che il dialogo tra Io e Tu sia insoddisfacente, che gli spazi di silenzio e di incomprensione, al

---

[1] N. Brown, *Life against Death* (1959); tr. it. *La vita contro la morte*, il Saggiatore, Milano 1973, p. 161.

[2] Si veda a questo proposito U. Galimberti, *La terra senza il male. Jung: dall'inconscio al simbolo* (1984), Feltrinelli, Milano 2001, Introduzione: "L'indifferenza della terra".

di là della buona volontà e delle buone intenzioni, esigano una comprensione superiore.

Sembra che la solitudine del cuore sia così abissale da non essere raggiunta da nessuna voce umana.

Sembra che l'intensità della passione non trovi corrispondenza nell'amore e nell'ira che gli uomini possono vicendevolmente scambiarsi.

Sembra che la solitudine non possa neppure costituirsi, e tanto meno un dialogo interiore, se l'altra parte non ha un volto sovrumano.

Sembra che la metafora dell'inconscio sia troppo povera per contenere quel patire che solo nei simboli religiosi trova l'altezza della sua iconografia.

Sembra che le vette della mente non sappiano perché si protendano verso il cielo, se il cielo è vuoto. E neppure perché l'esilio, a cui ci avvicina la disperazione, possa essere immaginabile senza un inferno che ce lo prefiguri come corrispondenza immaginifica dell'anima.

Nell'atmosfera creata da queste inquiete domande, tutte le parole che quotidianamente impieghiamo nel mondo rivelano la loro afasia. E allora solo l'amore, con la vibrazione delle sue folgorazioni, può favorire quel cedimento della mente che è necessario, perché la roccaforte della ragione, a differenza del cuore, è incapace di *sfiorare* la verità senza *possederla*. Infatti, come scrive il teologo greco-ortodosso Christos Yannaras:

Se ti sei innamorato una volta, sai ormai distinguere la vita da ciò che è supporto biologico e sentimentalismo, sai ormai distinguere la vita dalla sopravvivenza. Sai che la sopravvivenza significa vita senza senso e sensibilità, una morte strisciante: mangi il pane e non ti tieni in piedi, bevi acqua e non ti disseti, tocchi le cose e non le senti al tatto, annusi il fiore e il suo profumo non arriva alla tua anima. Se però l'amato è accanto a te, tutto, improvvisamente, risorge, e la vita ti inonda con tale forza che ritieni il vaso di argilla della tua esistenza incapace a sostenerla. Tale piena della vita è l'eros. Non parlo di sentimentalismi e di slanci mistici, ma della vita, che solo allora diventa reale e tangibile, come se fossero cadute squame dai tuoi occhi e tutto, attorno a te, si manifestasse per la prima volta, ogni suono venisse udito per la prima volta, e il tatto fremesse di gioia alla prima percezione delle cose. Tale eros non è privilegio né dei virtuosi né dei saggi, è offerto a tutti, con pari possibilità. Ed è la sola pregustazione del Regno, il solo reale superamento della morte. Perché solo se esci dal tuo Io, sia pure per gli occhi belli di una zingara, sai cosa domandi a Dio e perché corri dietro di Lui.[3]

Ultima conoscenza sul labbro delle domande ultime, l'amore chiede la genesi del mondo, della materia, della vita, del male, della distruzione, della corruzione, chiede perché iniqua è la distribuzione dei doni e dei dolori agli uomini, e attende di capire perché l'amore per Dio e l'amore per gli uomini sono pezzi che non collimano nella rifrazione prismatica dell'intero.

Una volta scoperto di avere a che fare con un Dio sottomesso al morto concetto, o con un Dio custode di una castità idolatrata, l'amore si fa atrofico, dall'andamento cadenzato sul ritmo di morte, dove è dato incontrare solo un desiderio di possesso, di appropriazione e uso dell'altro, in una relazione in cui la vita si è già congedata, e con lei lo stupore sull'atemporale e sull'illimitato che ogni relazione d'amore dischiude.

Forse per questo la metafora di Dio è sempre stata coniugata con la metafora dell'amore. E non nel senso consolatorio di un Dio che ama gli uomini, e di uomini che amano Dio, ma nel senso che senza un raggio di trascendenza, di cui Dio è la metafora, amore perde la sua forza e la sua capacità di leggere il mondo.

Ai confini tra il corporeo e l'incorporeo, amore abita la reciprocità dello sguardo, del sorriso, della voce, del gesto, del movimento. Un *sorriso* che non è contrazione ma offerta, uno *sguardo* che apre insicuro la strada del desiderio in cui si riflette l'unicità dell'evento, una *voce* malcerta in cui è tutta l'immediatezza sensibile, l'incarnazione della parola, un *gesto* in cui la grazia che è ritmo della bellezza chiama tenerezza, mentre un *movimento* che accenna una timida disposizione di danza allude a un'impercettibile gioia nascosta.

Il corpo desiderato articola il desiderio in promessa, dischiudendo quella nudità che è polifonia di linguaggi, incessante passaggio dal linguaggio della visione a quel-

---

[3] Ch. Yannaras, *Variazioni sul Cantico dei cantici* (1989), Interlogos, Schio 1994, p. 25.

lo del tatto, dall'ebbrezza della chiamata all'estasi della partecipazione. Qui la semantica della luce si confonde con quella della grazia. È, come scrive il Vangelo di Luca: "La luce nella ribellione della folgore".[4] È una nudità che nasce senza decisione, come la luce nello sguardo innamorato. È la rinuncia alla vergogna come ultima autodifesa, oblio della misura, perfetto disarmo della consegna di sé.

Qui l'invito alla vita, proprio di ogni chiamata d'amore, può contrarsi nella smorfia beffarda della morte, sottesa a ogni sete frammentaria di piacere, senza finalità e senza trascendenza. Eppure anche nella distanza del fallimento conosciamo amore, quasi che non si dia conoscenza se non dopo che s'è mangiato il frutto, dopo che, come recita il *Cantico dei cantici*: "se n'è andato il mio diletto, al cui parlare l'anima mia si estasiava".[5] Nell'esperienza d'amore, infatti, siamo tutti Adamo ed Eva al primo giorno della creazione, perché sull'amore l'esperienza degli altri non ci insegna nulla. Non ci insegna che l'amore è il *modo* della vita, e neppure che questo modo è sempre al di là delle possibilità della natura umana.

Spaccato di trascendenza e di ulteriorità irraggiunta in ogni compiuto atto d'amore, febbre del corpo nel suo cieco e tumultuoso bisogno di reciprocità, sete del viandante nella solitudine ardente del deserto, il piacere sessuale perpetua la natura, non gli individui. Puro autoerotismo della natura, se un raggio di trascendenza non ne ferisce la tenebra, lasciando giungere quella chiamata che risveglia la carne dalla sua opacità e la costringe a cedere quella scintilla divina in cui è custodito il nostro nome, che solo l'altro può chiamare:

Vieni mio diletto, usciamo alla campagna, pernottiamo nei villaggi: di buon mattino andremo nei vigneti, vedremo se gemma la vite, se sbocciano i fiori, se fioriscono i melograni: là ti darò i miei amori.[6]

[4] Luca, *Vangelo*, 10, 18.
[5] *Cantico dei cantici*, 6, 2.
[6] Ivi, 17, 11-13.

Ma non c'è accesso al vigneto per chi disgiunge l'immagine di Dio dall'immagine di amore, per chi non conosce l'"incarnazione", perché, come scrive Jaspers a commento dell'amore di Abelardo ed Eloisa:

> Dio non esiste per gli uomini come qualcosa di oggettivo che esprime le sue richieste e amministra la sua grazia. Dio è sempre e solo quel Dio che esiste per la *singola esistenza*, e perciò Eloisa è devota; la sua intenzione di voler seguire Abelardo persino all'inferno non significa che Abelardo sia il suo Dio, che tra Dio e Abelardo sceglierebbe Abelardo, ma che non può essere un vero Dio chi cercasse di separarla da Abelardo per un voto monastico. Non si tratta, infatti, di una sensualità selvaggia che per sua natura passa rapidamente e che è così forte da esigere immediata soddisfazione, e neppure di un erotismo spiritualizzato, ma di un amore incondizionato e trascendente, il cui tradimento costituirebbe una minaccia per l'esistenza che vedrebbe compromesso il suo rapporto con la trascendenza.[7]

Là dove smarrisce le tracce della trascendenza, l'esistenza si autonega, ricade su di sé, cosa tra le cose, senza rinvio, senza ulteriorità. Ma chi può aprire la via alla trascendenza se non l'amore? E come può farlo se non proprio là dove il suo *eccesso* espressivo cerca un'*eccedenza*, un'ulteriorità di senso al di là di ogni nostra collaudata misura?

Che sia proprio qui, nell'oltrepassamento della misura e del quieto ordine giuridico da questa dispiegato, il punto di incontro fra amore e trascendenza? Che sia come vuole Kierkegaard, su quell'altare dove Abramo si accinge a immolare il figlio per amore di Dio, al di là del quinto comandamento?[8] Amore, geloso custode delle domande ultime, custodisce forse anche la soluzione di questo enigma.

È un enigma dove l'amore vede in Dio il suo raggio di trascendenza e Dio vede nell'amore la sua natura, altrimenti a lui stesso ignota. L'intreccio che qui si crea non ospita sentimentalismi, e neppure slanci mistici, ma solo quell'indecifrabile nesso tra amore e trascendenza che

[7] K. Jaspers, *Philosophie* (1932-1955): I *Philosophische Weltorientierung*; tr. it. *Filosofia*, Libro I: *Orientazione filosofica nel mondo*, Utet, Torino 1978, p. 380.
[8] S. Kierkegaard, *Frygt og Baeven* (1843); tr. it. *Timore e tremore*, in *Opere*, Sansoni, Firenze 1972, p. 66.

i mistici, a differenza dei metafisici, hanno saputo catturare nei rapimenti dell'anima.

Quando la nostra cultura era ordinata da categorie metafisiche, Dio era pensato come Uno, come Primo Principio. In seguito, con l'annuncio della morte di Dio, Nietzsche ha proclamato anche la morte di queste categorie, e allora il nostro tempo è andato alla ricerca di altri pensieri per riuscire a pensare Dio. Uno di questi è "amore", che Baget Bozzo, utilizzando la metafora cristiana, coniuga con la parola "libertà": "Quando definiamo Dio come amore, intendiamo Dio come colui che lascia libere da sé le realtà in cui egli si manifesta".[9]

Qui si apre il dramma della teologia cristiana e i quattro, *Dio*, *Uomo*, *Angelo*, *Demonio*, si legano in quella vicenda cosmica dove l'amore si specchia nella libertà, e nella libertà l'uomo incontra il suo limite.

Vertigine del pensiero, a cui si può accedere solo se lasciamo alle spalle la nozione d'amore che abbiamo imparato tra le vicende umane, dove solitamente l'amore è coniugato con il possesso e il possesso con la custodia, per evitare a ognuno di noi lo spettacolo del limite che ogni gesto di libertà rivela come espressione della vita.

L'amore, quello vero, non protegge, espone, affinché accada la *vita* che l'*esistenza*, ogni esistenza, con tutto il suo sistema protettivo, contrae e chiude. *La vita è l'antitesi dell'esistenza*. La donna genera l'esistenza, Dio la vita. Per questo, se vogliamo continuare a utilizzare la metafora cristiana, la nostra cultura ha sempre avvertito una certa parentela tra la donna e il diavolo: "Il cuore di una donna lo conosce solo il diavolo"[10] dice Dostoevskij. Non è una questione di sesso, è una questione di limite. Il limite dell'esistenza, di ogni esistenza, nel proliferare sovrabbondante della vita.

Dio si espone nella vita, il *diavolo* si pone a custodia dell'esistenza che è una contrazione della vita. L'*angelo*, che non è libero come l'uomo, ma è inscritto in una scelta unica, fatta una sola volta e per sempre, è, come il dia-

---

[9] G. Baget Bozzo, *L'uomo, l'angelo, il demone*, Rizzoli, Milano 1989, p. 9.
[10] F. Dostoevskij, *Besy* (1871); tr. it. *I demoni*, Einaudi, Torino 1980, p. 441.

volo, "custode", non in vista della conservazione dell'esistenza, ma in vista della sua rottura, affinché accada quel che non accade mai: che l'esistenza si apra alla vita.

"Dio è amore e l'Amore è Dio" scrive Baget Bozzo nel tentativo di superare l'*idea* di Dio per toccare la *realtà* di Dio. Dalla parte del diavolo sta la *morale*, ogni morale che impedisce al possibile di manifestarsi nella vita. Dalla parte del diavolo sta ogni esistenza come contrazione della vita nel suo limite. L'uomo non può mai identificarsi con il diavolo, con il custode del limite, e perciò guarda alla morte come al dissolvimento di ogni limite, a partire da quel limite che avvertiamo ogni volta che diciamo Io.

Per questo da sempre avvertiamo una certa parentela tra l'amore e la morte. In ogni gesto sessuale profondo c'è uno spasmo di morte, come perdita dell'Io, come cedimento del limite. In questo senso la profondità sessuale è vicenda divina. Il diavolo non conosce il sesso come dissolvimento, ma il sesso come potenza, come dominio, come riaffermazione dell'Io e del suo insopprimibile limite.

La morte, che nientifica l'esistenza, apre alla cosmicità. Nella morte non c'è senso, perché ogni senso è dell'Io e quindi del diavolo che custodisce i confini dell'Io, a dispetto di quella continua creazione che, in nome di Dio, se vogliamo utilizzare il linguaggio della mistica, possiamo chiamare "amore".

E se amore si inscrivesse nella demolizione di tutte le forme storiche in cui la religione si è espressa, per aprirsi *al di là della soggettività* in cui la filosofia moderna ci ha recintato a partire da Cartesio? E se Nietzsche, con la proclamazione della morte di Dio, fosse il primo profeta di un nuovo modo di pensare Dio, al di là del soggetto, al di là dell'Uno metafisico, al di là di tutti i recinti in cui le religioni l'hanno confinato, per suggerimento del diavolo, e con la pretesa di parlare in nome di Dio?

Dio, infatti, si riconosce in tutti i nomi che gli vengono assegnati, perché ama l'accadere libero della vita, che nulla vuole e nulla giudica, perché, come dicono i mistici, semplicemente ama. E in ogni vicenda dell'uomo si ama, in ogni esistenza che si avvia verso il suo dissolvimento, fino all'ultima, quando con lei si chiuderà la storia, e con la storia il limite. Allora anche il diavolo troverà la sua dimora presso Dio.

Qui le metafore religiose si intrecciano alle allusioni erotiche, in un crescendo che raggiunge quell'apice dove l'amore umano non può esprimersi se non in armonia con l'amore cosmico. Ciò significa che i nostri gesti creano armonia o disarmonia nell'universo e, da gesto che compone, il gesto d'amore può diventare dissolvenza, non tanto di noi, ma del cosmo che non ci ignora.

Il riferimento cosmico che accompagna il viaggio verso il richiamo della trascendenza evita la solitudine della carne e la riduzione dell'amore a cieca pulsione dove si agita il fondo animale dell'uomo. Educati a questo scenario dalla parola della scienza, che non ha risparmiato neanche le "cose d'amore", abbiamo detto addio al cielo e alla terra, addio all'armonia.

La *passione d'amore* è stata sostituita dalla *patologia*, e agli antichi poeti che cantavano le cose d'amore si sono sostituiti psicologi e sessuologi che perseguono non la composizione dell'uomo con il cosmo, ma la pura e semplice soddisfazione di quello che ancora chiamano *desiderio*, dimenticando che il desiderio, per quel che ancora le parole significano, rimanda alle stelle: *de-sidera*.

Non c'è più nulla da dire quando il desiderio si estingue. Nella quiete del corpo non c'è più elevazione dell'anima. E amore, se non ci accontentiamo dell'opaca malinconia della carne, è faccenda d'anima.

Si tratta naturalmente dell'anima che conosce la *rottura dei vincoli*, a partire da quel vincolo che è l'amore ordinario, "istituzionalizzato", socialmente accettato, quello che Kierkegaard chiama "stadio etico" che occorre oltrepassare per raggiungere lo "stadio religioso",[11] dove anche i vincoli dell'etica sono infranti.

Ma cosa resta di tangibile nell'amore che vuole la trascendenza e si lascia trafiggere dalle sue folgorazioni? Resta la divinità da una parte e l'evocazione dei corpi dall'altra, perché in questa *tensione* possano vibrare, non vincolate, tutte le metafore dell'amore.

---

[11] S. Kierkegaard, *Timore e tremore*, cit., Problema I: "Si dà una sospensione teologica dell'etica?", pp. 65-72.

2.

Amore e sacralità

Gioco rischioso intorno al limite dove si affollano
divieti e trasgressioni

> L'erotismo è l'approvazione della vita fin
> dentro la morte, e ciò tanto nell'erotismo dei
> cuori che nell'erotismo dei corpi: una sfida
> alla morte lanciata dall'indifferenza.
>
> G. BATAILLE, *L'erotismo* (1957), p. 31.

"La maggior violenza," scrive Bataille, "è per noi la
morte che ci strappa dalla nostra ostinazione di veder durare quell'essere discontinuo che noi siamo."[1] Il desiderio d'immortalità che qui entra in gioco è il desiderio di
conservare la sopravvivenza dell'individuo, dell'essere
personale che la totalità dell'essere, mai percorsa dalla
morte, dissolve. La totalità dell'essere, infatti, non ha nulla a che fare con la morte; al contrario, la morte dell'individuo la manifesta nella sua eternità.

Qui forse sono le origini remote del *sacri-ficio* religioso che dischiude l'orizzonte del *sacro*, se è vero che,
come ci ricorda Bataille: "Il sacro è la totalità dell'essere
rivelato a coloro i quali, nel corso di una cerimonia, con-
templano la morte di un essere individuale".[2] Con la morte violenta, con il sacrificio dell'individualità, ciò che i
convenuti avvertono è la totalità dell'essere a cui è ri-
condotta la vittima.

Ma c'è un altro modo di sperimentare la morte della
propria individualità nel corso della vita: è il modo della
sessualità in quel suo apice che è l'*orgasmo*, dove non c'è
alcun desiderio, alcun istinto, alcuna passione, alcun
amore, per la semplice ragione che nell'orgasmo non so-

---

[1] G. Bataille, *L'érotisme* (1957); tr. it. *L'erotismo*, Mondadori, Milano 1972,
p. 25.
[2] Ivi, p. 30.

25

lo non ci sono due persone, ma neppure una: non c'è esperienza di quel momento perché l'orgasmo è l'evacuazione di ogni esperienza.

Ruotando intorno alla morte, l'individualità, come la vittima sacrificale, è uccisa dalla semplice intensità del godimento che la percorre, e che nell'attimo del piacere la sottrae al sistema del tempo, per immergerla in quel tempo astorico dove il soggetto non è più l'Io, ma la dialettica della materia giocata dalla sessualità.

Nell'apice dell'amore, infatti, l'Io e il Tu si dissolvono come il gioco del vedere e dell'esser visto, e questa rinuncia al proprio Io e all'immagine del proprio corpo è resa possibile dalla fiducia nell'altro, senza la quale non potrebbe essere superata la profonda angoscia che l'orgasmo possa condurre alla perdita di sé come nella morte. La fiducia garantisce il ritorno, ma non evita che per un istante, per quell'istante in cui si perde la testa per entrare nel corpo, il nulla si introduca furtivamente nella vita.

Se da un lato sopportiamo a fatica la condizione che ci lega a un'individualità casuale e mortale, e nello stesso tempo abbiamo un desiderio di durare in questo corpo destinato a perire, dall'altro non siamo immuni dalla nostalgia della totalità originaria che, annullandoci, ci collega all'essere. Da questa nostalgia ci difende il *divieto*, che però si lascia infrangere dalla *trasgressione*, che lo percorre in quell'ambivalenza tra la conservazione della propria individualità e la sua dissoluzione che è alla base di ogni episodio d'amore e di ogni evento di morte.

Se l'essere amato diventa, per chi lo fa oggetto d'amore, la trasparenza del mondo, se ciò che attraverso di lui appare è l'essere pieno, illimitato, che oltrepassa di gran lunga i limiti dell'individualità, è pur vero che tutto ciò è possibile solo nella violazione della sua e della nostra individualità, quindi in un atto che richiama, nella metafora dell'omicidio e del suicidio, la dissoluzione della morte. Lungi dall'essere, come vuole Bataille: "l'approvazione della vita fin dentro la morte",[3] l'amore è l'anticipazione della morte nel corso della vita, quel gioco rischio-

[3] Ivi, p. 31.

so intorno al limite dove si affollano divieti e trasgressioni.

Come la violenza omicida, così i rapporti sessuali sono proibiti all'interno delle società arcaiche e comandati all'esterno, quasi i primitivi avessero intuito il profondo legame che Freud ha intravisto fra l'amore e la morte, e gli effetti dissolventi che possono derivare dalla loro indiscriminata generalizzazione.[4]

Non solo la morte, infatti, è per il singolo individuo "fuori misura", ma anche la nascita, che scaturisce dalla sessualità, porta con sé un senso di dismisura, nell'improvviso manifestarsi di qualcosa di nuovo che, per quanto previsto, scompone un ordine. Il processo di produzione della vita, ossia la sessualità in senso lato, pesa sulla produzione della struttura sociale, e perciò non può compiersi al di fuori del controllo della società che, con l'introduzione dei divieti, subordina i rapporti sessuali alla produzione degli altri rapporti sociali. Se appartiene alla *natura* dell'uomo poter sopravvivere solo in società, è evidente che tutto ciò che minaccia questa possibilità appaia come *contro-natura*.

Posti a difesa della natura umana, i divieti, oltre a separare l'uomo dall'animale che li ignora, circoscrivono il territorio non umano della trasgressione, che è poi il territorio del *sacro* e del *sacri-ficio*. Per questo gli animali, che non conoscono divieti, assumevano agli occhi dei primitivi il carattere del sacro e venivano sacri-ficati.

La vittima era sacra per il solo fatto di essere animale, per il solo fatto di essere al di fuori della regola del divieto, aperta alla violenza che presiede il mondo della morte e della sessualità selvaggia. Lo spirito della trasgressione è lo spirito del dio animale che muore, e morendo rafforza l'ordine dei divieti che proteggono l'umanità, impedendo la realizzazione di quei desideri che, da allora in poi, saranno detti "bestiali" e "selvaggi".

C'è una profonda affinità tra il sacrificio e l'atto d'amore, un'affinità che non è sfuggita neppure al cristianesimo, anche se questa religione ha fatto di tutto per

---

[4] S. Freud, *Totem und Tabu* (1912-1913); tr. it. *Totem e tabù*, in *Opere*, Boringhieri, Torino 1967-1993, vol. VII.

mascherare ciò che in questi due atti trasgressivi viene in primo piano: la *carne* dell'animale sacrificato e la *carne* che nell'atto d'amore eccede i limiti posti dal divieto sociale.

Benché l'amore inizi là dove la bestialità finisce, essa è così ben conservata nell'erotismo che le immagini tratte dall'animalità non cessano mai di essergli legate. Ma forse proprio per questo l'amore è sacro. Come attività trasgressiva che si oppone al divieto, l'amore è vicenda divina, dove l'umano "eccede", compie l'eccesso.

Nel sacrificio dell'animale la violenza trasgressiva abbatte la vita, nella trasgressione erotica la vita, in un punto e per un certo tempo, resta incrinata dalla voluttà che gode d'esser cieca e d'aver dimenticato. Nella sospensione dei divieti che difendono la vita, la voluttà evoca la morte, e negli spasmi, nei respiri faticosi, il corpo registra questa profonda affinità. Da un lato la convulsione della carne è tanto più precipitata quanto più è vicina al "cedimento", dall'altro il cedimento favorisce la convulsione voluttuosa. Ambivalenza dell'incontro amore-morte, scambio simulato di sintomi, trasgressione dell'ordine abituale delle norme della vita che simula quel "tras-gredire", quell'"andare oltre" la vita che si vuol trattenere nei limiti umani.

Quel che c'è di notevole nel divieto sessuale è il suo pieno rivelarsi nella trasgressione. L'educazione, che procede per silenzi e per avvertimenti sommessi dopo ogni scoperta parziale e furtiva, ne svela l'aspetto tenebroso e proibito, dove il piacere s'intreccia al mistero, espressione ambivalente del divieto che determina il godimento nel momento stesso in cui lo condanna. Questa rivelazione data nella trasgressione dice quanto la nostra attività sessuale sia costretta al segreto, e appaia contraria alla dignità "umana" che, affermatasi discostandosi dalla semplicità animale, sembra non poter esprimere la carne se non nella trasgressione.

Ma la trasgressione è lo spazio degli animali divini, e poi degli dèi e di coloro che li rappresentano, che hanno in comune la possibilità di sottrarsi al divieto che regola la vicenda umana. Per questo, prima i sacerdoti e poi i signori della terra "dovevano" possedere per la prima volta la donna che andava a nozze; segno che il primo contatto era violazione del comune divieto, dove solo sacerdoti e sovrani potevano intervenire senza troppo rischio per le cose sacre. Poi la *ripetizione* sessuale era affidata agli uomini sottoposti ai divieti, perché se l'abitudine da un lato ha il potere di approfondire ciò che l'impazienza ignora, dall'altro è immune al fascino dell'illecito che, solo, ha il potere di infondere all'amore ciò che esso ha di più forte della legge.

Ma la società antica, a mano a mano che andava regolando l'amore nel matrimonio, parallelamente ritualizzava le trasgressioni nell'orgia. Non era un caso che durante le orge dei Saturnali l'ordine sociale venisse rovesciato e il padrone servisse lo schiavo, e lo schiavo se ne stesse disteso sul letto del padrone. Voluttà sessuale e capovolgimento sociale andavano di pari passo, quasi a ribadire che, per la difesa della società e del suo ordine, erano nati i divieti e le proibizioni, in quel tempo profano contrapposto al carattere sacro dell'orgia.

Nell'orgia non si esprime il *fasto* della religione quale noi oggi lo conosciamo nel carattere maestoso, calmo e solenne della religione cristiana che si è conciliata con l'ordine profano.[5] Nell'orgia si esprime il lato *nefasto* della religione, dove il sacro non si è ancora diviso dal male, non l'ha cacciato lontano da sé, all'inferno, ma lo trattiene per quel tanto che è costitutivo della natura umana, e lo esprime in quel cieco precipitare verso la distruzione e la perdita che è il momento decisivo di ogni orgia religiosa.

L'immenso disordine degli individui smarriti l'uno per l'altro, immersi in quell'atmosfera di carne, di vittime sgozzate, di morte, ribadiva nella trasgressione ritualizzata la necessità del divieto, il limite che l'umano s'era posto alle soglie del sacro, del divino. Tentare di introdursi, varcare la soglia, tras-gredire era immettersi in un disordine di grida, in un tumulto di gesti violenti, di dan-

---

[5] Per un approfondimento di questo tema si veda U. Galimberti, *Orme del sacro. Il cristianesimo e la desacralizzazione del sacro*, Feltrinelli, Milano 2000.

ze, di amplessi sconnessi, di sentimenti annichiliti nell'agitarsi crescente della convulsione. Ritualizzando la trasgressione, l'orgia faceva sperimentare il male inteso come distruttività, perdita, fuga nell'indistinto, dove non v'è più nulla che non si confonda.

Attraverso l'ebbrezza di questa visione, che senza accorgersene e forse senza neppure saperlo reintroduce il male come essenza del piacere, passa la rifondazione del discorso giuridico che la trasgressione sacra dei primitivi sospendeva e l'odierna profanazione del sacro ripropone.

Non possiamo tornare alle orge di Dioniso, né alle prostitute sacre che attendevano lo straniero nel tempio. Ora che il tempio è chiuso e non ci sono più àuguri che con il liuto delimitano lo spazio del sacro, la trasgressione non ha più un "oltre" verso cui andare, tutto lo spazio è profano, e l'esercizio della trasgressione può al massimo violare codici, ma non incontrare simboli. L'iscrizione della legge, infatti, separando il bene dal male, ha spezzato ogni ambivalenza simbolica, ha privato la trasgressione del segreto che essa sapeva trafugare al mistero del simbolo, ogni volta che furtivamente "andava oltre" il divieto.

3.

Amore e sessualità

Nesso che intreccia morte e rinascita

> Sono smarrito di fronte all'altro che vedo e
> tocco e del quale non so più che fare. È già
> molto se ho conservato il ricordo vago di un
> certo *al di là* di quello che vedo e tocco, un
> al di là di cui so precisamente che è ciò di
> cui voglio impadronirmi. È allora che *mi faccio desiderio*.
>
> J.-P. SARTRE, *L'essere e il nulla* (1943), p. 481.

La sessualità non appartiene al racconto dell'Io, perché, in sua presenza, l'Io subisce una dislocazione che, spostando il regime delle sue regole, indebolisce il possesso di sé. La sua trama viene interrotta da qualcosa di troppo che, spezzando la continuità del dire e l'ordine del discorso, porta verso itinerari di fuga che l'Io e la ragione che lo governa non riescono a inseguire. Pulsioni e desideri, infatti, irrompendo come significanti incontrollati nell'ordine dei significati statuiti, portano alla luce altri nessi, altri orditi, altri intrecci, i cui nodi affondano in quell'*al di là* che è l'altra parte di noi stessi.

A questo allude l'etimologia che vuole *sexum* derivato da *nexum*. Per comprendere i nessi che il sesso inaugura dobbiamo dislocare la nostra riflessione e cominciare a pensare a partire dal sesso e non dall'Io che ha un sesso. Il sesso, infatti, non è qualcosa di cui l'Io dispone, ma se mai è qualcosa che dispone dell'Io, qualcosa che lo incrina, che lo apre alla crisi, che lo toglie dal centro della sua egoità, dall'ordine delle sue connessioni per nessi di tutt'altro genere e forma e qualità.

Qui l'*azione* cede alla *passione*, che non è uno smarrimento, una deviazione, un'erranza, ma un *patire* il cedimento del senso sempre più trascinato verso la sua deriva. Non più *autore* delle sue parole ma *portavoce* di altri messaggi, l'Io si trova ospitato da un linguaggio non suo, dove la comunicazione, più che alla successione del senso, è affidata all'enigma. Questa parola chiusa eppure avvolgente rende mute tutte le voci un tempo familiari. La dislocazione annuncia l'insolito. Per questo Socrate, a proposito delle cose d'amore, parlava di "possessione (*katokoché*)",[1] la stessa espressione che usano i mistici quando parlano del loro rapporto con Dio.

Ma dislocarsi dalle dimore dell'Io non significa sporgere sugli abissi della follia? Se non abbiamo paura delle parole, possiamo senz'altro dire che la follia abita la sessualità non come chiusura del senso, come ottundimento dell'ordine dei significati, ma come loro collasso, come sospetto che la continuità dell'esperienza trovi la sua interruzione, la sua fuga a ogni tentativo che cerchi di fissarla e disporla in successione ordinata, perché, al di là dell'ordine costruito, la sessualità sente che la totalità è sfuggente, che il *non-senso* contamina il *senso*, che il possibile eccede paurosamente sul reale, che ogni tentativo di comprensione totale implode a partire da uno sfondo abissale che è caos, apertura, spalancamento, disponibilità vertiginosa per tutti i sensi.

Altro che smarrimento dei sensi con il corredo delle figure e delle fantasie che vi concorrono. Per questo l'immaginario non riesce mai sino in fondo a sedurci e le sue figure a portarci lontano. Nella sessualità, infatti, il gioco è più alto, perché la meta non è il godimento dell'Io, ma il suo *perdersi* in quelle regioni dove la parola è affidata a quell'alterità che abbiamo rimosso quando la costruzione di sé chiedeva contenimento e ordine.

Ma gli abissi dell'anima non sono rimasti disabitati, e tutte le nostre possibili esistenze, da tempo contenute, possono riapparire con i toni forti di chi chiede, se non proprio la vita, quel rinnovamento della vita, a cui l'Io cede ogni volta che fa *sesso* e quindi *nesso* con l'altra parte di sé.

Non essendo un rapporto con l'altro, ma una relazione con l'altra parte di noi stessi, quindi un cedimento dell'Io per liberare in parte la follia che lo abita, la sessualità ha a che fare con quei limiti ontologici che sono per l'esistenza

[1] Platone, *Simposio*, 175 b.

la nascita e la morte. Morte dell'Io per dissoluzione dei suoi confini, sua rinascita in nuove configurazioni. Questa vertigine, che ogni atto sessuale porta con sé, ha bisogno della presenza dell'altro, ma solo come memoria della realtà che si lascia e come possibilità di un ritorno dal mondo estraneo a cui ci si è concessi nella dissolvenza dell'Io.

Quello che chiamiamo godimento dell'Io, in realtà, è il suo disfacimento perché sia consentita quell'apertura dove l'altra parte di noi stessi possa annunciarsi inquietante con i toni forti della vita e della morte per quel che eravamo e che, dopo ogni atto d'amore, non siamo più.

O si passa attraverso questa vertigine o il gioco resta epidermico, senza spessore, senza profondità, per quanto fantasmagoriche siano le produzioni dell'immaginario. Non c'è stata conoscenza, non c'è stato neppure sesso, perché il primo nesso, quello che intreccia la morte con la rinascita, non è stato annodato, per prudenza, per non perdere le dimore dell'Io.

Se la sessualità non è tanto un rapporto con l'altro come si è soliti ritenere, è pur vero che ogni atto sessuale ha bisogno della presenza dell'altro che sappia accompagnarci nella perdita di noi e nella risalita dalle profondità di noi stessi.

L'avvinghiarsi al corpo dell'altro, prima di un contatto, è dunque una *presa*. Per il solo fatto di esserci accanto, l'altro ci concede di perderci nella nostra follia e di riprenderci: assistendo al cedimento del nostro Io, con la sua sola presenza, come la levatrice durante il parto, l'altro aiuta la nostra rinascita. Ma questa avviene solo dopo l'esperienza della morte che ci strappa dalla nostra ostinazione a veder durare quell'Io che noi siamo.

Il *sacrificio*, che i primitivi praticavano per dischiudere l'orizzonte del *sacro*, ha forse qui le sue remote origini, che alludono alla totalità dell'essere che si rivela in occasione del sacrificio dell'individualità. La stessa totalità che, secondo Platone, Eros dischiude quando "colma l'immenso vuoto che separa i due mondi in modo che appaia il Tutto in sé connesso".[2] Questo pensiero, che si an-

[2] Ivi, 202 e.

nuncia agli albori dell'Occidente, è lo stesso che risuona in Oriente nelle parole del maestro Tung-hsüan:

> Di tutte le diecimila cose create dal Cielo, l'uomo è la più preziosa. Di tutte le cose che fanno prosperare l'uomo, nessuna può essere paragonata al rapporto sessuale. Esso è modellato secondo il Cielo e prende a esempio la Terra, regola lo Yin e governa lo Yang. Coloro che ne comprendono l'importanza possono alimentare la loro natura e prolungare i loro anni, coloro che non ne colgono il vero significato danneggeranno se stessi e moriranno anzitempo.[3]

Dunque il sesso come fonte di vita e la vita come riproduzione dell'armonia cosmica. Il gesto sessuale, come gesto di creazione dove non ci si impiglia tra le vicende umane, ma dove in un punto si celebra il senso del cielo, della terra e delle diecimila cose che in composta armonia abitano il cielo e la terra.

Perché noi occidentali, che crediamo nelle stelle e negli oroscopi che cadono dalle stelle, abbiamo dimenticato che i nostri gesti lenti, agili o violenti modificano le stelle, il loro equilibrio, la loro luce, il loro giro? Il gesto dell'uomo crea armonia o disarmonia nell'universo e il nostro sesso, da gesto che compone, può diventare dissolvenza, non tanto di noi, ma del cosmo che non ci ignora. Infatti, prosegue il maestro Tung-hsüan:

> Il Cielo ruota a sinistra e la Terra a destra. Così, le quattro stagioni si succedono l'una all'altra, l'uomo chiama e la donna segue, sopra c'è azione e sotto accettazione; questo è l'ordine di tutte le cose. Se l'uomo si muove e la donna non risponde, o se la donna è eccitata e l'uomo non accondiscende, allora l'atto sessuale danneggerà non soltanto l'uomo ma anche la donna, perché ciò è contrario al rapporto stabilito tra lo Yin e lo Yang. Se essi si uniscono in tal modo, nessuno dei due partecipanti all'atto ne trarrà beneficio. Pertanto l'uomo e la donna devono muoversi secondo il loro orientamento cosmico. L'uomo deve spingere dall'alto e la donna ricevere dal basso. Se tale è la loro unione, la si può chiamare Cielo e Terra in perfetto equilibrio.[4]

---

[3] R.H. van Gulik, *Life in Ancient China* (1974); tr. it. *La vita sessuale nell'antica Cina*, Adelphi, Milano 1987, pp. 161-162.
[4] Ivi, p. 162.

Da noi cominciò Platone ad allontanarci dal corpo e dalla terra per elevarci sopra il cielo (*ypér-ouranós*) dove dimora la verità. Fraintendendo radicalmente Platone, e utilizzando il fraintendimento per i propri scopi, il cristianesimo spezzò il mandala, i quattro che compongono l'armonia. Tre si trovano raccolti e separati dal quarto, il diavolo, che l'iconografia prese a dipingere con i tratti di Pan, il dio greco del sesso che, nell'ora meridiana da lui preferita, rincorreva con i suoi zoccoli da capra e le sue corna mozze le ninfe nel bosco.[5]

Il cristianesimo tenne le fila della sessualità in Occidente, dove il cielo era separato dalla terra e lo spirito dalla carne. E se un bel giorno, sia da parte di chi la esorcizza sia da parte di chi pretende di liberarla, si smettesse di esecrare la sessualità, che poi altro non è se non la carne nella sua solitudine, e si cominciasse a esecrare chi ha ridotto la carne in solitudine, separandola dal cielo per farne l'anticamera dell'inferno, il primo girone della *Commedia*?[6]

Ma anche quando il cristianesimo cominciò a declinare, con esso non declinò la solitudine della carne, incaricata a mettere in scena le manifestazioni primarie del disagio dell'esistenza. Fu Freud a sottrarre la sessualità dallo sfondo cosmologico, da cui già l'aveva separata il cristianesimo, per visualizzarla come gioco della cieca pulsione dove si agita il fondo animale dell'uomo. Anche se nelle stelle è inscritto il destino, da intendersi non solo come forza cosmica, ma anche come ciò che vi è in noi di più singolare, ciò che ci rende singoli, inconfondibili, quindi "soli". L'amore non rinnega il sesso e l'erotica, ma li fa ruotare intorno a quel "tu" che ognuno di noi, almeno una volta nella vita, sente come un "tu-destino". Questo "sentimento della destinazione reciproca", come lo chiama Mario Trevi, non può essere compreso dall'esterno e sfugge anche a chi ne è coinvolto e che non riesce più a distinguere sé da quel sentimento che lo costituisce. Scrive a questo proposito Trevi:

[5] J. Hillman, *An Essay on Pan* (1972); tr. it. *Saggio su Pan*, Adelphi, Milano 1972.

[6] Dante Alighieri, *Inferno*, canto V.

Nell'amore l'amante e l'amato si sentono reciprocamente "destinati", mossi cioè da una forza che, da una parte, li separa e li governa e, dall'altra, rappresenta quanto di più specifico compete all'uno e all'altro. Il "destino", si sa, è bifronte: da un lato appare come forza cosmica, dall'altro è quanto di più singolare ci riguarda, quel che appunto ci rende "singoli", inconfondibili, in un certo senso "soli".

Si dirà: un sentimento non garantisce nulla, un sentimento può anche ingannare. Così è infatti. Un sentimento non ha alcuna realtà al di fuori della psiche che lo sperimenta, dunque nessuna garanzia ontologica. È un evento, non una *res*, una cosa. Si radica in se stesso. Per questo può apparire effimero come una falena o immortale come un dio. Non sappiamo cosa sia l'amore. Sappiamo solo che "abitandolo" l'amante si sente destinato all'amato e questo a quello. E allora, per questo sentimento che non ha radici fuori di se stesso, si attua quel "miracolo" del tutto inesplorabile dell'"entusiasmo amoroso", in cui, dice Jaspers: "la singola persona finita diventa l'uno e l'assoluto". [...]

L'"io" e il "tu" avvertono di muoversi, anzi di "essere mossi" l'uno verso l'altro da distanze cosmiche, da tempi mitici inimmaginabili. L'esser convenuti da spazi ed ere incommensurabili in un unico, definitissimo punto procura la ferma vertigine che afferra i pellegrini dell'assoluto, non importa se si tratta di mistici o di amanti. D'altra parte i primi hanno sempre impiegato il linguaggio dei secondi. Ognuno infatti, nell'amore, è assoluto per l'altro.[7]

Ma questo assoluto non sempre ha durata, non sempre conosce l'eternità, perché spesso non si incarna nella coppia dei "destinati", ma piuttosto nell'assenza di uno dei due. E assenza qui non significa che quel corpo non c'è, ma che non si ha mai la sensazione di possederlo anche quando lo si avvinghia. È del vuoto che ci si innamora, non del pieno, perché *amore è trascendenza*, e non simbiotico rapporto duale. Per questo il linguaggio dei mistici, che hanno sempre a che fare con il Grande Assente, sembra rubato al linguaggio degli amanti.

Se il corpo nella sua pienezza e nella sua specificità sessuale non erotizza, perché non lascia spazio alla creazione dell'altro, amore si dà solo là dove ci sono costruzione, proiezione, invenzione, ideazione. Nessuno, infatti, ama l'altro, ma ognuno ama ciò che ha creato con

[7] M. Trevi, *Sesso, erotica, amore: una possibile geometria*, in AA.VV., *L'amore*, Mazzotta, Milano 1992, pp. 28, 31.

la materia dell'altro. Siamo irriducibilmente racchiusi nella nostra solitudine, e se trascendenza si dà, questa percorre lo spazio che c'è tra la natura e la sua trasfigurazione. Ciò che si ama è dunque la nostra creazione, non la natura, ma ciò che, a partire dalla natura, siamo in grado di creare.

Per questo Baudrillard può dire: "L'ultima parola non può essere lasciata alla natura",[8] alla sua meccanica e fisica carnale dove non c'è nulla di interessante se non un gioco sessuale a bassa definizione. Ancora una volta ci si trova a dire che l'uomo non è qualcosa di più dell'animale, ma è il *tutt'altro*. Quella figura dello spirito che è la fantasia, di cui gli animali sono privi, gioca nelle cose d'amore un ruolo più decisivo della carne fissata nel perimetro di un corpo marcato da un solo segno sessuale affinché la fantasia, che è il potenziale sovversivo di ogni ordine, incontri subito il suo limite. E tra i limiti della fantasia, dove ci è dato incontrare amore?

Ma là dove la natura non è più *referente*, anche lo schema della relazione maschio-femmina non può che trasformarsi radicalmente. Il maschio che finora ha conosciuto solo il proprio corpo come corpo libero dalla catena della riproduzione, oggi si trova di fronte un altro corpo liberato (quello della donna biochimicamente liberato), e il suo schema di vita non può che subire un contraccolpo che lo obbliga a una trasformazione e a una rivisualizzazione di sé, a cui nessuna idea, nessuna guerra, nessuna rivoluzione e nessuna trasformazione culturale o epocale l'avevano costretto in termini così radicali.

Sciolta dal vincolo della natura a cui era inchiodata dall'origine del mondo, la donna, con il suo ingresso nella storia che finora era stato esclusivo appannaggio del maschile, libera a sua volta una sessualità che sposta i limiti del comune senso del pudore, e così costringe le morali a fare delle contorsioni su se stesse per rendere tollerabile quel che un tempo era deprecabile, e obbliga le terapie psicologiche a riconfigurare se stesse, perché la metafora ses-

    [8] J. Baudrillard, *Il destino dei sessi e il declino dell'illusione sessuale*, in AA.VV., *L'amore*, cit., p. 89.

suale, su cui queste avevano eretto i loro edifici, non tiene più né come tabù né, al limite, come desiderio.

Ma le conseguenze non finiscono qui. Quando la donna era inchiodata alla natura e l'uomo libero di mettersi in scena nella storia, la differenza sessuale era marcata dall'appartenenza ai due diversi scenari. Oggi che l'emancipazione femminile ha confuso gli scenari viene a galla un'altra verità: che i sessi sono meno diversi di quanto si pensi, anzi tendono a confondersi se non a scambiarsi, perché nessuno di noi è "per natura" legato a un sesso. L'ambivalenza sessuale, l'attività e la passività, per non dire la bisessualità e la transessualità, sono inscritte nel corpo di ogni soggetto, e non come differenza legata a un determinato organo sessuale.

Venuta meno la natura (anatomica) come referente, la modernità, che ha liberato il corpo della donna, tende a confondere la natura e l'artificio moltiplicando i giochi, smantellando il sesso come primo segno di identità per offrirlo come eccedenza di possibilità.

Scopriamo allora che nessuno è mai là dove si crede, ma ciascuno è sempre là dove il desiderio lo spinge. E siccome il desiderio non conosce limite, il sesso virtuale comincia ad affiancare e spesso a sostituire il sesso reale che, negli angusti confini dell'opacità della carne, non trova più un soddisfacente spazio espressivo.

A ciò irrimediabilmente conduce la perduta fede nella natura che le tecniche anticoncezionali e quelle di fertilizzazione e di concepimento hanno reso remoto e smarrito referente. Ma là dove non c'è referente non c'è limite, quindi non ci sono norma, orizzonte, misura, identità da salvaguardare, differenze da mantenere, per orientarsi in quell'universo di segni che la fissità della natura rendeva identificabili e che l'avvento della tecnica via via cancella, restituendo al desiderio dell'uomo e della donna la loro erranza.

A questo punto la dualità agonistica dei sessi cede il passo alla loro indifferenziazione, e una volta finita l'orgia, che è poi l'estasi del desiderio, uomo e donna vengono riconsegnati alla loro indifferenza affettiva, mentre amore assiste al suo rapido declino nel firmamento dei concetti, quasi il tema astrale di un linguaggio remoto.

Fine della sessualità come destino inscritto nel rigido codice della natura, e liberazione di tutte le controparti sessuali inscritte in ciascuno di noi. In questa obliterazione della differenza sessuale che fin qui aveva fatto da sostegno alla nostra cultura, ciò che si apre sono tutti i possibili percorsi, in quell'andare e riandare ormai erratico, dove il desiderio sembra essere provocato e fatto brillare solo per essere deluso.

Ma non è così. In questo apparente dissesto, in questa confusione dei codici si evidenzia forse una verità che la nostra cultura ha finora tenuto gelosamente nascosta, per evitare il crollo del proprio edificio costruito su basi ritenute solide, solo perché spacciate per "naturali". Ora che la tecnica ha sottratto alla natura la sua ineluttabilità, scopriamo che il corpo, consegnato alla sua semplice natura, non erotizza, perché non lascia spazio alla creazione dell'altro, mentre Eros si dà solo là dove ci sono ideazione e creazione. Nessuno infatti ama l'altro, ma ognuno ama ciò che ha creato con la materia dell'altro.

Qui cade la distinzione tra l'animale e l'uomo che, a differenza dell'animale, non può fare a meno di percorrere lo spazio fra la natura e la sua trasfigurazione. Diventa così evidente quello che la nostra storia ha sempre saputo e taciuto, e cioè che anche nelle cose d'amore l'uomo ama solo la sua creazione, quindi non la natura, ma quella natura coltivata che siamo soliti chiamare "cultura".

4.

Amore e perversione

Esasperato tentativo di erodere i confini del possibile

> Le perversioni non sono né bestialità né de-
> generazioni nel senso passionale della pa-
> rola: esse costituiscono lo sviluppo di ger-
> mi, tutti contenuti nella disposizione ses-
> suale indifferenziata del bambino, la cui re-
> pressione o volgimento verso fini asessuali
> più alti – la "sublimazione" – è destinata a
> fornire le energie per gran parte dei nostri
> contributi alla civiltà.
>
> S. FREUD, *Frammento di un'analisi d'isteria*
> (1901), p. 341.

Dall'esibizionismo al voyeurismo, dal feticismo al tra-
vestitismo, dal sadomasochismo alla pedofilia, le perversioni, per il comune sentire, hanno sempre avuto una
connotazione negativa che segnala la deviazione, il degrado, l'aberrazione, il ribrezzo, la ripugnanza, lo schifo.
Non varrebbe quindi la pena di parlarne in un libro dedicato all'amore, se Freud non smontasse questo luogo
comune con un'affermazione a prima vista sconvolgente: "L'onnipotenza dell'amore forse non si rivela mai con
tanta forza come in queste sue aberrazioni".[1]
L'interpretazione freudiana della perversione è nota.
Essa, a differenza della nevrosi, non nasce dal conflitto
tra le pulsioni inconsce e i divieti del Super-io, ma dal *misconoscimento delle differenze* che il bambino acquisisce
quando, nella fase edipica, apprende di non possedere un
organo sessuale adeguato come quello del padre, e quindi di non essere un partner adeguato per la madre. Per
effetto di questo riconoscimento, il bambino individua la

---

[1] S. Freud, *Drei Abhandlungen zur Sexualtheorie* (1905); tr. it. *Tre saggi sulla teoria sessuale*, in *Opere*, Boringhieri, Torino 1967-1993, vol. IV, p. 474.

differenza tra i sessi e, insieme, la *differenza tra le genera-zioni*, che invece la perversione misconosce, generando un universo caotico, dove ogni pulsione si muove per suo conto, senza raggiungere l'organizzazione genitale.

Ce ne dà un esempio il marchese de Sade ne *Le centoventi giornate di Sodoma*, dove uomini e donne, bambini e vecchi, vergini e prostitute, suore e maîtresse, madri e figli, padri e figlie, fratelli e sorelle, zii e nipoti, nobili e plebei "saranno tutti mischiati, tutti stravaccati, su cuscini, in terra, e a mo' degli animali, si cambierà, si farà incesto, adulterio, sodomizzando".[2]

Qui ogni differenza sessuale è cancellata, ogni differenza generazionale è abolita, ogni barriera che separa l'uomo dalla donna, l'adulto dal bambino, il fratello dalla sorella cade, per poter tornare a quel *caos originario* che annienta l'universo delle differenze.

Il perverso, infatti, non cerca, come si crede, la *trasgressione*, perché sa che il limite che essa incrocia e spezza si ricompone alle sue spalle come un'onda di poca memoria dietro lo scafo di un'imbarcazione che l'ha solcata. Il perverso sa che limite e trasgressione devono l'uno all'altra la densità del loro essere, perché non c'è limite all'infuori del gesto che l'attraversa, così come non c'è gesto se non nell'oltrepassamento del limite. Infatti, ciò verso cui la trasgressione si scatena è il limite che la incatena. La trasgressione è la glorificazione del limite che il perverso non riconosce, perché la dimora che vuol abitare è il *caos originario* che viene prima delle differenze, prima dei limiti e dei divieti. Per questo Noirceuil, un personaggio de *L'histoire de Juliette*, può dire:

> Desidero sposarmi due volte nello stesso giorno: alle dieci di mattina mi vestirò da donna e sposerò un uomo; a mezzogiorno mi vestirò da uomo e sposerò un omosessuale travestito da donna. In più [...] voglio che una donna faccia le stesse cose: e quale altra donna se non tu potrebbe indulgere a queste fantasie? Devi vestirti da uomo e sposare una donna nella stessa cerimonia nella quale io vestito da donna sposerò un uomo; e poi tu come donna sposerai un'altra donna travestita da uomo, mentre io, indos-

[2] D.-A.-F. de Sade, *Les 120 Journées de Sodome, ou l'École du libertinage* (1785); tr. it. *Le centoventi giornate di Sodoma*, Newton Compton, Roma 1983, p. 66.

sati gli abiti che si confanno al mio sesso, sposerò, come uomo, un omosessuale vestito da ragazza.[3]

L'aspirazione del perverso è di raggiungere uno stato di completa *mescolanza*, dove è soppressa ogni nozione di organizzazione, struttura, separazione, e dove è abolito l'universo delle differenze da cui prende avvio ogni principio d'ordine.

Così almeno parla la tradizione giudaico-cristiana che fa nascere il mondo dalla *separazione* della luce dalle tenebre,[4] ma così parla anche la tradizione greca quando individua nella *hybris*, nella tracotanza, nell'eccesso, la colpa più grande che ci espone alla minaccia dell'*ibrido*, dove tutto si mescola nella cancellazione di ogni differenza. Contro questo rischio ci difende la "legge" che gli antichi Greci chiamavano *nómos* che letteralmente significa "ciò che è diviso in parti", come in parti è divisa la terra, affinché a ciascuno sia assegnata la sua "regione" (in greco *nomós*, con l'accento sulla seconda sillaba).[5]

Misconoscendo le differenze, il perverso non riconosce la legge e il limite che dalla legge deriva. La sua tensione è volta all'eccesso. Non è la soddisfazione sessuale in cima al suo desiderio, ma, come dice Freud, la celebrazione della sua *onnipotenza*, che trova forma nella negazione dell'altro, nella "degradazione dell'oggetto d'amore che trasforma la persona in una cosa".[6] Ne deriva quella che Blanchot chiama "la morale della solitudine assoluta" tipica del perverso:

[3] D.-A.-F. de Sade, *L'histoire de Juliette* (1797), in *Œuvres complètes*, Cercle du Livre Précieux, Paris 1967, vol. IX, p. 569.

[4] *Genesi*, 1, 3-10: "Dio separò la luce dalle tenebre e chiamò la luce 'giorno' e le tenebre 'notte'. Dio disse ancora: vi sia fra le acque un firmamento, il quale separi le acque superiori da quelle inferiori. Poi Iddio disse: si raccolgano tutte le acque che sono sotto il cielo in un sol luogo in modo che appaia l'asciutto. E chiamò l'asciutto 'terra' e la raccolta delle acque 'mare'. E Iddio vide che ciò era buono".

[5] Per un approfondimento di questo tema si veda J. Chasseguet-Smirgel, *Creativity and Perversion* (1985); tr. it. *Creatività e perversione*, Raffaello Cortina, Milano 1987, pp. 9-17.

[6] È questa l'espressione con cui F. De Masi definisce la perversione nel suo saggio: *Perversione*, in P.P. Portinaro, *I concetti del male*, Einaudi, Torino 2002, p. 285.

Sade l'ha detto e ripetuto in tutte le forme. La natura ci fa nascere soli, non esistono rapporti di nessun tipo tra uomo e uomo. L'unica regola di condotta consiste dunque nel fatto di preferire tutto ciò che mi rende felice e di non tenere in nessun conto tutto ciò che dalla mia preferenza potrebbe risultare malvagio per gli altri. Se il più grande dolore altrui conta sempre meno del mio piacere, che importa se devo acquistare il più piccolo godimento con un inaudito cumulo di delitti, dal momento che il godimento mi lusinga, è in me, mentre l'effetto del crimine non mi tocca, è fuori di me?[7]

L'isolamento morale comporta l'annullamento dei freni che il rispetto degli altri ci impone, impedendoci un atteggiamento "onnipotente" come dice Freud o "sovrano" come dice Bataille.[8] Chi si dedica agli altri non è sovrano, perché in cuor suo ritiene di aver bisogno di loro. Sovrano è chi sa di essere solo e accetta di esserlo. Non si tratta di una solitudine malinconica, perché, scrive Blanchot:

> Tutto ciò che in lui, retaggio di diciassette secoli di viltà, si riferisce agli altri, egli lo nega. Per esempio: la pietà, la gratitudine, l'amore, tutti sentimenti che egli distrugge e, distruggendoli, egli recupera tutta la forza che avrebbe dovuto consacrare a tali impulsi e, cosa ancor più importante, ricava da questo lavoro di distruzione il principio di una vera energia.[9]

Un'energia non compromessa né incrinata dalla sensibilità per gli altri, per cui il perverso non compie il crimine in un "raptus di follia" come si è soliti credere, ma a sangue freddo. Si tratta di un crimine cupo e segreto, perché è l'atto di chi, avendo distrutto ogni forma d'amore e dedizione dentro di sé, ha accumulato una forza immensa che si rende visibile nella distruzione che prepara.

Il perverso, infatti, ride della mediocrità delle voluttà che solitamente si concedono gli uomini, e ciò di cui gode è il piacere che deriva non dalla sessualità, ma dalla sessualità portata a quel limite oltre il quale c'è l'incontro con la morte. Qui l'insensibilità del perverso si fa fremito

[7] M. Blanchot, *Lautréamont et Sade*, Éd. de Minuit, Paris 1949, p. 220.
[8] G. Bataille, *L'érotisme* (1957); tr. it. *L'erotismo*, Mondadori, Milano 1972, Parte II, capitolo 2: "L'uomo sovrano di Sade", pp. 175-187.
[9] M. Blanchot, *Lautréamont et Sade*, cit., p. 256.

che pervade l'intero suo essere, perché, scrive Bataille: "è entrato in quel gioco che lega l'erotismo alla morte".[10]

Ma qui la sovranità del perverso incontra il suo limite, perché, se è vero che la negazione degli altri lo rende sovrano, è altrettanto vero che da questa sovranità non è libero di derogare. Nella *coazione a ripetere* sia l'eccesso sessuale sia l'eccesso criminale, *l'onnipotenza* del perverso incontra la sua *impotenza*. Questo è dovuto al fatto che egli non può godere se non dell'eccesso, non può che bruciare nello stesso fuoco che la sua onnipotenza ha acceso, perché per lui il piacere è proporzionato alla distruzione della vita, e la vita attinge per lui il suo grado più alto di intensità proprio nella più mostruosa negazione del suo principio.

Se la perversione è la negazione della vita, non c'è società che possa accoglierla al suo interno neppure per un istante. E infatti le società sono nate *separandosi dal principio della distruzione* che Freud chiama "pulsione di morte"[11] rintracciabile in ogni perversione, e che, prima di Freud, l'umanità ha sempre conosciuto e chiamato con il nome di "sacro".[12]

"Sacro" è parola indoeuropea che significa "separato". La sacralità, quindi, non è una condizione spirituale o morale, ma una qualità che inerisce a ciò che ha relazione e contatto con potenze che l'uomo, non potendo dominare, avverte come superiori a sé, e come tali attribuibili a una dimensione, in seguito denominata "divina", pensata comunque come "separata" e "altra" rispetto al mondo umano. Dal sacro l'uomo tende a tenersi lontano, come sempre accade di fronte a ciò che si teme, e al tempo stesso ne è attratto come lo si può essere nei confronti dell'origine da cui un giorno ci si è emancipati.

Questo rapporto ambivalente è l'essenza di ogni *religione* che, come vuole la parola, recinge, tenendola in sé raccolta (*re-legere*), l'area del sacro, in modo da garantir-

---

[10] G. Bataille, *L'erotismo*, cit., p. 181.
[11] S. Freud, *Jenseits des Lustprinzips* (1920); tr. it. *Al di là del principio di piacere*, in *Opere*, cit., vol. IX, pp. 224-248.
[12] Sulla tematica del sacro si veda U. Galimberti, *Orme del sacro. Il cristianesimo e la desacralizzazione del sacro*, Feltrinelli, Milano 2000.

ne a un tempo la *separazione* e il *contatto*, che resta comunque regolato da pratiche rituali capaci da un lato di evitare l'espansione incontrollata del sacro e dall'altro la sua inaccessibilità.

Maledetto nella comunità degli uomini, il sacro, con tutto il suo corredo di trasgressioni divine, di pratiche sessuali proibite, di forme di violenza e di brutalità, che ogni mitologia ospita senza vergogna e senza ritegno, diventa *benedetto* quando è trasferito all'esterno. Con questa espulsione l'uomo è strappato alla sua violenza che, divinizzata, è posta al di là dell'umano come entità separata, come cosa che riguarda gli dèi.

Velenosa quando si aggira fra gli uomini, la violenza dell'indifferenziato diventa *benefica* quando, espulsa, produce quell'adesione alle procedure d'ordine necessarie per scongiurarne il ritorno. Per questo i *riti sacrificali*, officiati da tutte le religioni, compresa la religione cristiana, assomigliano così da vicino alle *proibizioni* che interdicono.

"La religione, infatti," come scrive Bataille, "non è altro che la spiegazione di fatto di un'aberrazione"[13] che l'uomo sente come costitutiva della sua natura, e mentre assegna al perverso il compito di rappresentarla senza ritegno, non si lascia neppure sfiorare dall'idea che forse il perverso non è altro che l'eccesso di ciò che noi siamo.

Questa mancanza di consapevolezza è quella che fa ritenere noi "civili" e gli altri "selvaggi", noi "ragionevoli" e gli altri "violenti", ma la civiltà sa quanta barbarie al suo interno deve contenere, così come la ragione sa quanta violenza ogni giorno deve comprimere.

Se si rifiuta questa consapevolezza, proiettando all'esterno la sregolatezza che ci costituisce, questa non può che esplodere devastandoci, perché abbiamo impedito alla nostra coscienza di aprirsi a ciò che più profondamente la disgusta, e soprattutto le abbiamo impedito di riconoscere che ciò che più profondamente la disgusta è dentro di noi, come sfondo pre-umano da cui un giorno

---

[13] G. Bataille, *L'erotismo*, cit., p. 194.

ci siamo emancipati, ma non per sempre e soprattutto mai definitivamente.[14]

In questo senso diciamo che amore, se vuol essere all'altezza della sua verità più sincera, forse deve amare anche il disgusto, anche la sregolatezza, anche la perversione che, dice Freud: "opportunamente *sublimata*, è destinata a fornire le energie per gran parte dei nostri contributi alla civiltà".[15]

Ne sono testimoni gli artisti e i poeti che, per creare, attingono al caos primitivo, dove non c'è regola, non c'è legge, non c'è riconoscimento della differenza, ma restaurazione simbolica di quell'indifferenziato che precedeva la creazione, e a cui forse bisogna attingere perché prenda vita un nuovo genere di realtà, al di là di quella esistente che più non affascina e non richiama amore.

[14] A proposito dello "sfondo pre-umano" si veda U. Galimberti, *Gli equivoci dell'anima* (1987), Feltrinelli, Milano 2001, capitolo 16, § 5: "L'umano e lo sfondo pre-umano".

[15] S. Freud, *Bruchstück einer Hysterie-Analyse* (1901); tr. it. *Frammento di un'analisi d'isteria (Caso clinico di Dora)*, in *Opere*, cit., vol. IV, p. 341.

5.

Amore e solitudine

La masturbazione e la delusione del desiderio

Nella solitudine cresce la bestia interiore.

F. NIETZSCHE, *Così parlò Zarathustra* (1883-1885), pp. 354-355.

Condannata, sublimata, elogiata, la masturbazione, per una sorta di ironia della storia, incrina la venerabilità dell'età dei Lumi, giustamente considerata età della ragione, che lascia finalmente alle sue spalle il buio dei secoli precedenti oscurati da pregiudizi religiosi e superstiziosi. Fu infatti nell'età dei Lumi che la masturbazione venne esecrata e messa al bando dalle pratiche umane, condannata alla stregua del suicidio, in un crescendo di intolleranza che non ha confronto con i secoli precedenti. Il tutto a opera di due ancelle: la scienza medica e l'economia, sempre pronte a soccorrere con i loro solidi argomenti le debolezze dell'etica.

Né il mondo biblico né quello greco hanno tenuto in gran conto la masturbazione, e non si sono premurati di condannarla con la precettistica delle rispettive etiche. Il fatto che la masturbazione si chiami anche "onanismo" con riferimento a Onan che, rifiutandosi di procreare in nome di suo fratello, praticava il *coitus interruptus*, dice solo che questa denominazione è scorretta, come scorretto è riferire la masturbazione a Onan, che il Signore fece perire non tanto perché spargeva il seme per terra, ma perché, così facendo, rinnegava la legge del matrimonio levitico.[1]

Nel mondo greco Ippocrate e Galeno, i grandi medici dell'antichità, inquadrano la masturbazione nella teoria generale degli umori che devono essere, a seconda

---

[1] *Genesi*, 38, 1-9; *Deuteronomio*, 25, 5-10.

delle circostanze, ora espurgati ora contenuti, in un contesto dove il liquido seminale non è considerato diversamente da quello biliare.[2]

La mitologia greca ha addirittura divinizzato la masturbazione mettendola sotto la protezione di Pan,[3] a cui fanno riferimento gli stoici che, pur essendo noti per il loro distacco dalle passioni, non esitano a esaltare la masturbazione come espressione di autosufficienza e indipendenza dagli altri. La teologia medioevale con Tommaso d'Aquino condanna la masturbazione come sintomo di rammollimento (*mollities*) in concorso con le fantasie incestuose o adulterine, ma nulla di più.[4]

Fu nel Settecento, con la nascita della scienza medica in senso moderno, che il medico svizzero Simon-André-David Tissot scrive due trattati sulle malattie prodotte dalla masturbazione[5] che sono nell'ordine: disturbi visivi, occhiaie, foruncoli, bulimia, problemi digestivi, tremito alle ginocchia, blefarospasmo, mal di testa, malattie veneree (chissà perché), caduta dei capelli, tisi, mielite e simili.

Tra i seguaci entusiasti di Tissot incontriamo Rousseau[6] e Kant,[7] per i quali chi si masturba non è dissimile dal "suicida" che distrugge con un gesto la vita che il masturbatore sacrifica nel tempo. Contemporaneo di Tis-

[2] Ippocrate, *L'antica medicina*, in *Opere*, Utet, Torino 1976, § 19.

[3] J. Hillman, *An Essay on Pan* (1972); tr. it. *Saggio su Pan*, Adelphi, Milano 1972.

[4] Tommaso d'Aquino, *Summa theologiæ* (1259-1273), Editiones Paulinæ, Roma 1962, Secunda Secundæ, Quæstio CLIII: "De vitio luxuriæ", Quæstio CLIV: "De specibus luxuriæ".

[5] S.-A.-D. Tissot, *Tentamen de morbis ex manustupratione* (1758); *De l'onanisme. Dissertation physique sur les maladies produites par la masturbation* (1760); tr. it. antologiche: *Saggio sopra le malattie cagionate dalla masturbazione*; *Dissertazione sulle malattie che derivano dalla masturbazione*, in L. Lütkehaus, "O Wollust, o Hölle". Die Onanie. Stationen einer Inquisition (1992); tr. it. *La solitudine del piacere. Scritti sulla masturbazione*, Raffaello Cortina, Milano 1993, pp. 68-81.

[6] J.-J. Rousseau, *Julie ou la nouvelle Héloise* (1761), *Les confessions* (1782), *Émile ou de l'éducation* (1792); tr. it. *Julie o la nuova Eloisa*, Parte II, Lettera XV di Julie; *Le confessioni*, Libri II-III; *Emilio o dell'educazione*, Libro IV, in *Opere*, Sansoni, Firenze 1972.

[7] I. Kant, *Die metaphysik der Sitten* (1797); *Über Pädagogik* (1803); tr. it. *La metafisica dei costumi*, Laterza, Bari 1991, pp. 280-282; *La pedagogia*, La Nuova Italia, Firenze 1969, pp. 74-77.

sot è Johann Georg Zimmermann, medico personale di Federico II, che, in un saggio dal titolo *Monito a medici, educatori e amici dell'infanzia a proposito dell'obbrobriosa masturbazione*,[8] segnala la masturbazione femminile "come peggiore di quella maschile" perché meno manifesta anche se ugualmente precoce dal momento che prende avvio nella primissima infanzia, con buona pace di Freud che un secolo dopo era persuaso di aver scoperto per primo la sessualità infantile.

Istruiti dalla scienza medica, tutta una schiera di pedagogisti da Ch.G. Salzmann[9] a J.H. Campe[10] mettono a punto una serie di suggerimenti e di pratiche per dominare la masturbazione: giarrettiere per bloccare le mani, letti divisi con paratie elastiche fra il torso e l'addome, infibulazioni e altre strumentazioni che oggi costituiscono il repertorio delle pratiche sadiche. Seguono consigli per l'arredo dei collegi e per l'abbigliamento dei collegiali che prevedono cappotti che non siano troppo lunghi, tavoli che non siano troppo grandi, letti troppo soffici, camere troppo buie, spazi troppo ristretti e segreti, giacché "cominciamento di ogni vizio è lo star da soli".

E così anche la solitudine viene criminalizzata come anticamera del vizio detto appunto "solitario". E tutto ciò in un periodo in cui si dissolve la casa come *comunità*, perché prende piede, con la borghesia, l'intimità della famiglia *nucleare*, che concentra nella cornice privata l'intera produzione della dinamica del desiderio erotico con le sue manifestazioni masturbatorie e incestuose.

Un secolo dopo verrà Freud a dirci che l'incesto e il suo superamento (complesso edipico) sono il nucleo dello sviluppo psichico. Evidentemente Freud pensava solo al nucleo psichico del *soggetto borghese* che, nell'intimità di una famiglia non più comunitaria, non aveva altra pos-

---

[8] J.G. Zimmermann, *Warnung an Ältern, Erzieher und Kinderfreunde wegen der Selbstfleckung*, in G. Baldinger (a cura di), *Neues Magazin für Ärzte*, Leipzig 1779, pp. 43-51.

[9] Ch.G. Salzmann, *Über die heimlichen Sünden der Jugend* (1787); tr. it. antologica: *Dei peccati segreti della gioventù*, in L. Lütkehaus, *La solitudine del piacere. Scritti sulla masturbazione*, cit., pp. 94-118.

[10] J.H. Campe, *Allgemeine Revision des gesammten Erziehungswesen von einer Gesellschaft praktischer Erzieher*, Wolfenbüttel 1787.

sibilità di indirizzare il desiderio se non su se stesso o sulla madre. Chissà se la psicoanalisi non è forse solo l'analisi di quella classe sociale affermatasi nel Settecento europeo e battezzata con il nome di "borghesia"?

Ma nel Settecento, oltre alla scienza medica e all'intimità della casa borghese, non più comunitaria ma nucleare, nasce anche l'*economia* nel senso moderno dell'accezione, e, rispetto ai parametri economici, la masturbazione è pur sempre uno spreco. Non a caso il dottor Paul Demeaux, specialista in onanismo e tubercolosi, scrive che "sperperare il proprio seme è come gettar soldi dalla finestra".[11] E che l'economia sia la scientifizzazione della morale della rinuncia non sfugge a Marx che in proposito scrive:

> L'economia è la più morale delle scienze perché ha come suo dogma la rinuncia a se stessi, la rinuncia alla vita e a tutti i bisogni umani. Quanto meno mangi, bevi, compri libri, vai a teatro, al ballo e all'osteria, quanto meno pensi, ami, fai teorie, canti, dipingi, versaggi eccetera, tanto più risparmi, tanto più grande diventa il tuo tesoro che né i tarli né la polvere possono consumare, il tuo capitale.[12]

E così il secolo dei Lumi, che per Kant segna "l'emancipazione dell'umanità da uno stato di minorità",[13] di fronte alla masturbazione si rivela molto più arretrato, ossessivo e persecutorio di quanto non siano stati i secoli precedenti regolati dalla religione che forse, più della ragione, ha dimestichezza con la carne e con le sofferenze della sua solitudine.

Nella sua *Storia della sessualità*, e precisamente nel primo volume che ha per titolo *La volontà di sapere*,[14] Fou-

[11] Citato in L. Lütkehaus, *La solitudine del piacere. Scritti sulla masturbazione*, cit., p. 31.

[12] K. Marx, *Oekonomisch-philosophische Manuskripte aus dem Jahre 1844*; tr. it. *Manoscritti economico-filosofici del 1844*; in *Marx Engels Opere Complete*, Editori Riuniti, Roma 1980, vol. III, 1976, pp. 336-337.

[13] I. Kant, *Beantwortung der Frage: Was ist Aufklärung?*, in "Berlinische Monatsschrift", vol. IV, dicembre 1784, pp. 481-494; tr. it. *Risposta alla domanda: Che cos'è l'illuminismo?*, in A. Tagliapietra (a cura di), *Che cos'è l'illuminismo? I testi e la genealogia del concetto*, Bruno Mondadori, Milano 1997, p. 16.

[14] M. Foucault, *La volonté de savoir* (1976); tr. it. *La volontà di sapere*, Feltrinelli, Milano 1978, pp. 19-36.

cault sottolinea che la tabuizzazione della masturbazione, anziché farla passare sotto silenzio, pone al centro dell'attenzione l'oggetto della scomunica. Viene così costituito un segreto che in pari tempo è investito da un'eccessiva volontà di sapere e in ogni caso da troppe chiacchiere. Il "vizio dell'adolescente" non è tanto qualcosa da combattere quanto qualcosa su cui far leva, in modo da integrare la sessualità nell'"ordine delle cose", un "dispositivo di sbarramento" solo superficiale.

In effetti, prosegue Foucault, il discorso contro la masturbazione è determinato quanto meno da una decisa volontà di parlarne, chiunque sia a occuparsene o a essere indotto a farlo. La colpa lavora per così dire nelle mani della confessione. Una sottaciuta complicità tra persecutori e perseguitati è spesso evidentissima. Domandarsi se i persecutori non intendano sotto sotto riprodurre di continuo il male che pretendono di combattere non è così scorretto come sembra dai discorsi manifesti. Dalla morale tutto si può esigere, fuorché l'univocità.

E allora congediamoci dalla scienza e dalla morale per perderci nei meandri del desiderio, e lì permanere per vedere se mai ci è dato scoprire che il desiderio non è una convulsione della soggettività, qualcosa che blocca l'esistenza e la contrae in un gesto corporeo che chiude al mondo e fa del corpo il nascondiglio della vita. Il desiderio è tensione verso l'altro nel suo sottrarsi e sfuggirmi, nel suo concedersi per un attimo e poi ritrarsi, conservando quell'integrità di un corpo su cui il possesso sembra non aver lasciato tracce.

L'uomo, dice la scienza, ha desideri sessuali perché ha un sesso. In realtà è esattamente il contrario, perché, come dice Sartre:

> Né la turgescenza del pene, né alcun altro fenomeno fisiologico possono spiegare o provocare il desiderio sessuale, più di quanto la vasocostrizione o la dilatazione della pupilla possano spiegare o provocare la paura.[15]

[15] J.-P. Sartre, *L'être et le néant* (1943); tr. it. *L'essere e il nulla*, il Saggiatore, Milano 1966, pp. 469-470.

La sessualità non è carne, è desiderio. Ciò a cui tende non è l'eiaculazione, ma l'incontro con l'altro, perché solo desiderando l'altro o sentendomi oggetto di desiderio altrui io mi scopro come essere sessuato.

Il limite della masturbazione è nel modo di vivere il proprio desiderio come apertura o come chiusura all'altro. Nella masturbazione, infatti, il desiderio che non desidera l'altro è un desiderio che non diventa veicolo di trascendenza, ma oggetto della propria immanenza, giocata in quel breve spazio che separa la tensione dalla soddisfazione che la estingue. Quando il desiderio diventa l'oggetto desiderabile, lo si eccita, lo si tiene in sospeso, se ne rimanda la soddisfazione finché non sopraggiunge il gesto che lo spegne, come un soffio di vento spegne un fuoco che non ha trovato ove propagarsi.

È al desiderio masturbatorio e alla sua incapacità di trascendenza ciò a cui pensano la scienza medica e la morale diffusa quando definiscono il desiderio come un "istinto" la cui origine e il cui fine sono strettamente fisiologici. In realtà il desiderio non implica necessariamente un'attività sessuale, perché, come dice Sartre: "il desiderio non è desiderio di *fare*",[16] ma è desiderio di un oggetto trascendente che consenta di uscire dalla propria clausura.

Si può obiettare che il desiderio non desidera un oggetto, ma un corpo con cui "fare" l'amore, perché è il corpo che, trapelando dalle vesti, scatena il desiderio. Questo è vero, ma solo perché il corpo, lasciandosi intravedere, fa la sua apparizione sullo sfondo di una situazione in cui si allude alla seduzione e al turbamento.

Allora il corpo è *pro-vocante*, non perché lascia intravedere una sua nudità, ma perché chiama in gioco quella situazione, perché in un certo senso si assenta come somma di elementi somatici capaci di produrre sollecitazioni fisiologiche, per offrirsi come atteggiamento che dice la tensione di un amore incipiente. In questo modo il corpo è desiderabile non per la sua carne immediatamente presente, ma perché nella sua carne si manifestano una vita e un'offerta a parteciparvi. Basta infatti che

[16] Ivi, p. 471.

la carne neghi questo sfondo e si raccolga nell'immobilità del rifiuto che il desiderio si estingue, raggelato dall'impossibilità di trascendersi.

Per questo diciamo che il desiderio è passione. Ma aggiungiamo anche che *passione* vuol dire *patire l'altro*, soffrire la vertigine che la mia possibilità di trascendermi dipende dalla libertà dell'altro. Per questo la passione si accompagna al *turbamento*, che non è prodotto dal "disordine delle passioni", ma dal confuso presentimento che l'altro può disporre di me, può accogliere così come può rifiutare il naturale desiderio del mio corpo di trascendersi in altro.

Questa è anche la ragione per cui chi è percorso dal desiderio esiste il suo corpo come una concessione, in un mondo dove le cose cessano di essere significanti per se stesse, per divenire segni impercettibili della presenza dell'altro, che interrompe la presa diretta del mio corpo sul mondo, per concedermi quella mediata e continuamente compromessa dalla sua libertà. "Emorragia violenta della soggettività," scrive Baudrillard. Insospettata scoperta che "il solo desiderio è di essere il destino dell'altro".[17]

Allora, complice del mio desiderio di trascendermi, scivolo progressivamente verso quel consenso *passivo* al desiderio dell'altro che è la *passione*, la cui cecità è nell'incapacità di discernere se l'altro desidera trascendersi nel mio corpo o semplicemente farne uso. Gli inganni d'amore sono possibili perché il mio corpo non si distingue dal suo desiderio, non può distanziarlo come fa il pensiero con i suoi oggetti, perché non ci sarebbe desiderio se a questo il corpo non prestasse la sua carne.

Vivendo il desiderio, compromettendosi, divenendone complice, fino a lasciarsi prendere, sommergere e paralizzare, il corpo è travolto da quella passione che non attende solo la visione del corpo dell'altro, ma anche e soprattutto la rivelazione di sé come corpo desiderato da altri. Nel desiderio dell'altro è infatti segretamente custodita la possibilità per il mio corpo di trascendersi. Al-

[17] J. Baudrillard, *Les stratégies fatales* (1983); tr. it. *Le strategie fatali*, Feltrinelli, Milano 1984, p. 104.

lora il corpo si fa carne, ma non con la freddezza di chi si sta appropriando della carne dell'altro, ma con l'esitazione di chi sente la sua identità in pericolo.

Se trascendersi è valicare la propria solitudine, non mi è dato sapere ciò che sarò nella carne dell'altro, ma certamente non sarò più ciò che sono. La mia identità in pericolo rende il mio corpo esitante, maldestro, insicuro, non per imperizia, ma per la vertigine che accompagna la scoperta di quegli aspetti di me che solo l'altro può svelarmi. Nella mia esitazione c'è il dramma di ogni trascendenza, che consiste nel sapere qualcosa di sé per dono dell'altro.

Chi non vuol correre questo rischio conosce l'amore non come un *nuovo modo d'essere*, ma come la ripetizione di un *antico modo d'avere*. Deciso a non trascendersi e a non giocare la propria identità nell'incontro con l'altro, il corpo non conosce quella *passione* che è il *patire l'altro*, perché il suo modo di esprimersi è quello dell'*azione* che desidera solo appropriarsi della carne dell'altro. Se nella passione non era dato percepire la carne perché un corpo-in situazione la velava, nell'azione la carne dell'altro appare in tutta la sua "o-scenità" perché è distrutta la "scena" d'amore. E questo perché, scrive Baudrillard:

> L'osceno è la fine di ogni scena [...]. Se tutti gli enigmi sono risolti, le stelle si spengono. Se tutto il segreto è restituito al visibile, e più che al visibile, all'evidenza oscena, se ogni illusione è restituita alla trasparenza, allora il cielo diventa indifferente alla terra. [...] Non è più una prostituzione sacra, ma una sorta di lubricità spettrale.[18]

Chi, sulla via dell'osceno, distrugge la scena, scioglie il corpo dell'altro dalla situazione che voleva esprimere, dalle possibilità che lo circondavano, fino a ridurlo all'inerzia passiva della carne. Invece di sentirsi trasceso dall'incontro con l'altro, incontra l'altro per affermare la propria intrascendibilità; gli fa gustare la sua carne per obbligarlo a sentirsi solo carne; riproduce incessantemente lo schema vuoto del desiderio che non si trascende nel-

[18] Ivi, pp. 49-50.

la carne dell'altro, ma che nella carne trascesa dell'altro assapora la propria solitudine. Il corpo non si supera nelle sue possibilità, ma si limita a distruggere il mondo dove il corpo dell'altro si muove in situazione, per affogarlo nel mondo del suo desiderio.

Ma il desiderio, quando è voluto per se stesso, porta con sé la sua sconfitta. Allontanando la passione per l'altro, per divenire semplice azione sulla carne dell'altro, il desiderio che desidera solo se stesso non riesce mai a trovarsi a contatto con un corpo, ma sempre e solo di fronte a una carne che, incarnata, lo estingue con quel piacere che è a un tempo l'oggetto del desiderio e la sua irrimediabile sconfitta.

È un piacere *indiviso* perché non *condiviso*; è un compimento che non lascia sulla pelle, sulle labbra il sapore dell'altro, ma porta con sé solo il sapore della fine. Un gioco di morte invece che un gioco d'amore; un gioco di solitudine, dove lo spazio per la *con-versione* all'altro è stato derubato dalla propria *per-versione*.

Perverso è ogni amore che si vive senza reciprocità, quindi senza la possibilità per il corpo di trascendersi in un altro corpo. È quell'amore generato e contraddetto da quella "passione inutile" che spinge una coscienza a ritenersi assoluta, al punto da non desiderare altro che il proprio desiderio. È un amore che, mentre progetta di asservire l'altro, di ridurlo a oggetto dei propri desideri, fa solo la parodia della propria castrazione, che ha tutto della pulsione di morte.

Qui non vogliamo ripetere Sartre nella suggestiva descrizione delle perversioni,[19] vogliamo semplicemente dire che tutte le perversioni, nella misura in cui sottraggono all'altro la sua soggettività per ridurlo alla pura opacità della sua carne, giocano con la morte, dove la soggettività si estingue e il corpo si raggela nell'immobilità della carne.

Siamo alla pornografia di cui la masturbazione si alimenta. Allucinante per il gusto dei dettagli, purgata di ogni segreto a forza di segni troppo esatti, la pornogra-

---

[19] J.-P. Sartre, *L'essere e il nulla*, cit., pp. 447-502.

fia spoglia il corpo di tutti i suoi rinvii, per lasciarlo alla pura concupiscenza dello sguardo, dove la prossimità assoluta, la presenzialità totale di un corpo senza difesa, senza spazio per arretrare, decreta la fine dell'interiorità e dell'intimità, il crollo di tutte le metafore e di tutte le allusioni che, materializzate, sprofondano nell'opacità del reale.

Come uno schermo assorbente, nella sua evidenza il reale estingue il desiderio e, sottraendolo al gioco duale, lo ricaccia nei giochi estatici, solitari, narcisistici, dove l'oggetto non è più l'altro, ma il ripiegamento del desiderio su se stesso, nel tracciato malinconico della sua delusione.

6.

Amore e denaro

La deriva dell'amore come specchio della società

> Di tutti i rapporti umani la prostituzione è forse il caso più pregnante di degradazione reciproca alla condizione di puro mezzo. Questo può essere visto come il momento più forte e più profondo che storicamente collega la prostituzione in modo assai stretto all'economia monetaria, l'economia dei "mezzi" nel senso più stretto della parola.
>
> G. Simmel, *Filosofia del denaro* (1900), p. 537.

Quando si dice che è "il mestiere più vecchio del mondo" bisognerebbe anche aggiungere che dunque è un fossile della nostra cultura, il sintomo di epoche passate che potrebbe benissimo essere superato. E invece no! L'argomento viene invocato per dire che il problema è insuperabile e che quindi lo si può solo correggere mettendolo nell'agenda delle "privatizzazioni" rispetto al vecchio controllo dello Stato, o nel sistema della "medicalizzazione", dal momento che la diffusione dell'Aids ha nella pratica della prostituzione uno dei suoi veicoli.

Sarà anche per questo che il 72 per cento delle donne italiane vuole la riapertura delle case di tolleranza, ammettendo implicitamente l'inevitabilità che i "loro" uomini frequentino le prostitute, e limitando la loro preoccupazione al solo fatto che mariti e fidanzati non portino in casa brutte malattie.

Certo, di fronte all'inevitabile non resta che cercare i rimedi e la limitazione dei danni. Ma perché la prostituzione è inevitabile? Dal momento che non conosciamo nulla di inevitabile all'infuori della morte, non potremmo cominciare a considerare la prostituzione come un *sintomo*, il sintomo del regime sessuale che caratterizza la nostra società? E dico la "nostra" perché, per quanto riguarda le epoche passate, come ci ricorda Lévi-Strauss, gli uomini hanno sempre venduto e comprato le donne, considerandole moneta corrente in ogni paese del mondo, e in particolare in quei paesi dove non esisteva un sistema monetario.[1]

E qui già possiamo arrivare a una prima considerazione: dal momento che la prostituzione è uno scambio di *sesso* contro *denaro*, perché non cambiare prospettiva e guardare le cose dal punto di vista del denaro invece che da quello del sesso? Se è vero infatti che in Italia, stando almeno alle statistiche, su 50.000 persone che si prostituiscono, la metà viene dai paesi dell'Est e dai paesi africani, 20.000 dai paesi sudamericani e solo 5000 sono italiane, vien da pensare che nei paesi avanzati, dove esiste una maggior libertà di relazioni sessuali, la prostituzione si estinguerebbe se non fosse alimentata dalla fame nel mondo, che è un motore più potente di quanto non sia la voglia di incontri occasionali d'amore. Là dove non è la fame, ma il desiderio di un rapido miglioramento delle proprie condizioni economiche, come sembra essere il caso delle italiane che si prostituiscono, anche alla base di questa prostituzione non troviamo il sesso, ma ancora il denaro.

Entriamo allora per davvero nella relazione sesso-denaro, e rendiamoci conto che, nonostante la nostra emancipazione culturale, il nostro inconscio, molto più pigro della nostra coscienza, continua a considerare, a dispetto delle nostre ammissioni e per effetto di una lunga tradizione culturale e religiosa, il *sesso sporco* e il *denaro volgare*. Perfetta sintonia tra i due elementi che nell'incontro mercenario trovano il modo di accoppiarsi. La prostituzione quindi come sintomo di una nostra arretratezza inconscia, come rivelatrice di uno stato profondo e non ancora evoluto di concepire la sessualità come pulsione momentanea, autonoma, e perciò slegata da qualsiasi scenario affettivo. Se la sessualità è questa, scrive Simmel:

[1] C. Lévi-Strauss, *Les structures élémentaires de la parenté* (1947); tr. it. *Le strutture elementari della parentela*, Feltrinelli, Milano 1972, Parte II: "Lo scambio generalizzato".

Al desiderio risvegliato istantaneamente, e altrettanto istanta-neamente spento, che la prostituzione soddisfa, è adatto sol-tanto l'equivalente in denaro che non lega a nulla, che in linea di principio è disponibile in qualsiasi momento. [...] Il denaro, infatti, una volta dato si separa in modo assoluto dalla perso-nalità e tronca ogni ulteriore conseguenza nel modo più netto, serve nel modo materialmente e simbolicamente più perfetto. Pagando in denaro ogni cosa è chiusa nel modo più radicale, come si chiude con la prostituta dopo aver raggiunto il soddi-sfacimento.[2]

Di fronte al *denaro* tutto diventa *merce*, e l'ideale kan-tiano secondo cui "l'uomo è da trattare sempre come un fine e mai come un mezzo"[3] trova nella prostituzione, ma forse anche nel matrimonio per interesse, la sua più cru-da smentita.

Il carattere impersonale, esteriore e oggettivo del de-naro, il suo valore assolutamente neutrale e lontano da ogni elemento personale dice che quando un uomo paga una donna le misconosce la sua individualità, le nega la sua specificità, non le riconosce alcuna interiorità sua propria, la considera più come "genere" che come "indi-viduo", in perfetta linea con la tendenza maschile a par-lare delle donne "al plurale", a giudicarle in blocco, la-sciando intendere che ciò che nelle donne desta l'inte-resse degli uomini è esattamente lo stesso nella came-riera come nella principessa.

Ciò significa che per la mentalità maschile la donna è immersa nel tratto indifferenziato del genere molto più dell'uomo che, rispetto la donna, si considera più indivi-duato e differenziato. Per effetto di questa presunta mag-gior differenziazione, l'uomo può dare nella relazione ses-suale solo una "parte di sé", mentre la donna, concepita come meno differenziata, non può che dare tutta se stes-sa. Questo spiega perché a una donna che si è concessa si nega l'"onore", mentre la stessa cosa non vale per l'uo-mo che ritiene di poter accedere alla relazione sessuale

[2] G. Simmel, *Philosophie des Geldes* (1900); tr. it. *Filosofia del denaro*, Utet, Torino 1984, pp. 536-537.
[3] I. Kant, *Grundlegung zur Metaphysik der Sitten* (1785); tr. it. *Fondazione della metafisica dei costumi*, Rusconi, Milano 1994, Sezione II, p. 155.

senza dover coinvolgere l'intera sua personalità, ma solo qualche suo intimo e segreto desiderio.

Ciò che è intimo, naturalmente, non lo si mette in piazza. Di solito lo si nasconde, lo si tiene segreto. Così vuole la nostra cultura con la sua ben salda distinzione, per non dire separazione, tra "pubblico" e "privato". Con tutti i suoi vantaggi, questa distinzione, non possiamo nascondercelo, oltre a essere un ottimo terreno di cultura per l'ipocrisia, esige da tutti lo sforzo non indifferente di vivere su un doppio registro, che obbliga a nascondere in pubblico la nostra intimità e dismettere nell'intimo la nostra recitazione pubblica.

Nella prostituzione la legge della divisione tra pubblico e privato viene infranta perché una donna "pubblica" entra in commercio con i desideri "privati". E infrangere questa legge che, pur essendo inevitabile nelle società avanzate, resta pur sempre una legge innaturale, può essere, più del desiderio sessuale, il vero motivo che spinge a incontri mercenari.

Si tratta di incontri dove si scambia ciò che vi è di più *personale* e destinato alla massima riservatezza: il sesso, con l'elemento più *impersonale*, più neutrale, più lontano da ogni tratto personale che è il denaro. Questo scambio tra il *personale* e l'*impersonale* è ciò che crea maggior indignazione e senso di degrado, da cui le prostitute si salvano immediatamente rendendo impersonale la propria sessualità e separandola dal loro cuore. Ne nasce un rapporto senza ieri e senza domani, nella più assoluta non comunicazione, che le mogli e le fidanzate, senza ammetterlo, sono molto più disposte a concedere ai loro uomini di quanto non sarebbero disposte a concedere se si trattasse di una vera storia d'amore.

E allora il problema della prostituzione non è un problema che riguarda le prostitute, e la sua soluzione non sta né nelle strade, né nelle case chiuse, né negli appartamenti di cui si passa parola, né nelle cooperative del sesso, ma nel fatto che tutti, uomini e donne, ritengono meno pericoloso un incontro *impersonale* con una prostituta che un incontro *personale* con un altro uomo o con un'altra donna.

In questo gioco l'unica innocente finisce con l'essere la prostituta che, lungi dall'adescare o dal sedurre, è lì solo a *rispecchiare* il nostro modo di concepire il sesso, che quando è separato dai sentimenti è paradossalmente ritenuto molto meno pericoloso del sesso coniugato ai sentimenti, come si può ben vedere in ogni rapporto che raramente si chiude per quella che da entrambi viene considerata una scappatella, mentre inesorabilmente si chiude di fronte a una storia d'amore.

E allora diciamolo: sotto la parola "amore" ciò che si nasconde è anche possesso dell'altro, sicurezza economica, presentabilità sociale, assicurazione per la vecchiaia e quant'altro con l'amore proprio non ha nulla da spartire. E di fronte a questo garbuglio inconfessato, la prostituzione, che non chiede legami, continuità, dedizione e altre fatiche che siamo soliti chiamare virtù, fa un po' di luce nella nostra confusione, obbligandoci a riconoscere che con la parola "amore" chiamiamo cose che con l'amore hanno poca parentela, così come, per converso, con la parola "sesso", che pensiamo di liberare negli incontri mercenari, intendiamo cose che hanno più parentela con il denaro, con il potere, con la nevrosi che ogni regime monogamico porta inevitabilmente con sé.

In tutte le transazioni commerciali chi ha denaro di solito ha più potere rispetto a chi fornisce la merce, e allora la prostituta ha due strategie per veder dipendere da sé chi la guarda dall'alto in basso. La prima è quella di innalzare significativamente il prezzo, in modo che il denaro, oltre una certa soglia, perda la sua indegnità e riveli la sua incapacità a compensare valori individuali.

Infatti, il disprezzo che la "buona" società riversa sulla prostituta è tanto più forte quanto più essa è miserabile e povera, ma diminuisce significativamente quanto maggiore è il prezzo a cui essa si vende, fino ad accogliere nei salotti l'attrice a tutti nota per i suoi costumi che, in forza del prezzo esorbitante, riscatta la sua individualità, e così evita il degrado a cui irrimediabilmente va incontro per il solo fatto di vendersi. Il prezzo alto la distingue dal "genere" e la fa riconoscere come "individuo" che, al pari di ogni altro, può mettere in campo la sua specificità e, in termini mercantili, il suo "valore di rarità". L'entità della somma compensa la bassezza del principio di pareggiare i valori "personali" con il più impersonale indicatore di valori che è il denaro.

La seconda strategia è quella di ribaltare il significato di quella domanda con cui solitamente si avvia la transazione con le prostitute: "Quanto vuoi?". Come scrive Gianfranco Bettin:

> Quanto vuoi di me, quanto vuoi che mi mostri, quanto vuoi che ti restituisca al tuo disamore, che risarcisca della tua delusione e insoddisfazione. Quanto sesso vuoi, magari quanto amore traslato, surrogato, più che solo mercificato. Quanto vuoi "sperimentare" nel caso di rapporti con transessuali e travestiti?[4]

Ciò che emerge da questo interrogativo è di volta in volta lo specchio della condizione maschile, dove incontriamo chi cerca sulle strade a pagamento quel che non trova nella vita, chi non finisce mai la guerra con i sensi di colpa o con la sua volontà di possedere ciò che, senza denaro, non potrebbe neppure illudersi di sognare, chi è alle prese con storie di solitudini, di impotenze, di desideri e bisogni frustrati, repressi, reticenti, mutilati.

"Quanto vuoi" che io ti renda per la tua erogazione in denaro che vorrebbe comprare ciò che la tua vita non è stata in grado di ottenere? Se vuoi io ti vendo anche l'umiliazione con cui tu, da buon masochista, vorresti umiliarti, obbedendo agli ordini che, dietro tuo ordine, io dovrei darti. Tutto ciò mi fa sospettare che, sotto sotto, quello che vuoi comprare non è il sesso, ma il potere su un altro essere umano, per raggiungere il quale sei disposto persino alla tua degradazione. È questo un sintomo della non ancor liquidata concezione del sesso come cosa "sporca", di cui si può godere solo con qualcuno che sta in basso e che si possa ricoprire con il linguaggio in cui trasuda la propria vergogna e insieme la propria rabbia.

Non sono da meno quelli che vogliono "redimere" le prostitute e, mentre le comprano, chiedono loro come

---

[4] G. Bettin, *Prefazione* a C. Corso, S. Landi, *Quanto vuoi? Clienti e prostitute si raccontano*, Giunti, Firenze 1998, pp. VII-VIII.

possono dare se stesse per denaro. È una cosa che li disturba, perché in qualche modo si sentono traditi. E allora, ben mascherata, sotto la voglia di "redenzione", ciò che lavora è l'antica idea maschile di "proprietà", che poi è la meta ultima a cui tende il denaro che passa di mano in mano.

Ma nelle nostre società "emancipate", di mano in mano non passa solo il denaro, ma anche l'idea della "libertà sessuale" che, per garantirla agli uomini, viene ipotizzata persino come "scelta" delle donne, all'unico scopo di mascherare con questa ipotesi la loro schiavitù economica o psicologica.

A tutto ciò dà man forte tutta quella letteratura che glorifica nella prostituta la sua miseria e insieme la sua dedizione, consentendo, a chi si lascia intenerire l'anima da simili considerazioni, di alimentare la propria autocommiserazione, fino a congratularsi con se stesso per la propria umanità, per la propria straordinaria capacità di riuscire a intravedere l'immagine di una Maria Maddalena sofferente in ogni creatura della strada. In tutto ciò, scrive Kate Millett:

> C'è una specie di perfezione. L'uomo trova un credito morale trattando con condiscendenza la prostituta, senza smettere di scopare la puttana, congratulandosi con se stesso per essersi accorto della sua miseria.[5]

Il problema, a questo punto, non è quello intorno a cui tutti i problemi si affollano, e precisamente se "recintare" le prostitute in bordelli di Stato o in bordelli privati, provvisti naturalmente di assistenza medica perché gli uomini che li frequentano possano farlo senza rischio. Il problema è se mai quello di guardare la prostituzione come una cartina di tornasole in cui è possibile scorgere, nell'autodistruttività della prostituta (che alimenta tanto la letteratura quanto l'opinione corrente), nel suo distacco dalla coscienza della propria condizione, il riflesso a tinte forti di quell'arcaica tendenza, assolutamente non estin-

[5] K. Millett, *Prostitution. A Quartet for Female Voices* (1971); tr. it. *Prostituzione. Quartetto per voci femminili*, Einaudi, Torino 1975, p. 40.

ta nella nostra società "evoluta", che vuole distruggere nelle donne il loro io, il rispetto di se stesse, la loro speranza, il loro ottimismo, la loro immaginazione, la loro sicurezza, la loro volontà, la loro individualità.

Tutto ciò non è da mettere in conto, come vuole Freud, al "naturale masochismo femminile",[6] ma a quel meccanismo di adattamento che è facile riconoscere in ogni gruppo oppresso, i cui membri, se non cooperano alla propria oppressione interiorizzando l'odio e il disprezzo del loro oppressore, finiscono per essere puniti e al limite perire. Questo perverso meccanismo deve richiamare tutta la nostra attenzione. Esso è noto non solo alle prostitute, ma anche alle mogli devote e fedeli.

[6] S. Freud, *Neue Folge der Vorlesungen zur Einführung in die Psychoanalyse* (1933); tr. it. *Introduzione alla psicoanalisi (nuova serie di lezioni)*, in *Opere*, Boringhieri, Torino 1967-1993, vol. XI, Lezione 33: "La femminilità", pp. 222-223: "Nella donna la repressione dell'aggressività, così come le è prescritto dalla sua costituzione e imposto dalla società, favorisce lo sviluppo di forti impulsi masochistici, i quali, come sappiamo, riescono a legare eroticamente le tendenze distruttive rivolte all'interno. Il masochismo è dunque, come si suol dire, schiettamente femminile".

7.

Amore e desiderio

Le avventure del desiderio e il richiamo della casa

> Io desidero il mio desiderio, e l'essere amato non è altro che il suo accessorio.
>
> R. Barthes, *Frammenti di un discorso amoroso* (1977), p. 28.

Si fa presto a dire "amore". Ma quel che c'è sotto a questa parola lo conosce solo il diavolo. E quando dico "dia-volo" dico lacerazione, tensione tra i massimamente distanti, come massimamente distanti sono i punti della circonferenza che il dia-metro congiunge. Si tratta di tensioni tra forze incomponibili che agitano il fragile terreno delle nostre vicende emozionali, lacerate tra le avventure del desiderio e il richiamo della casa, tra il bisogno di trascendenza, in cui propriamente consiste la natura dell'uomo che il desiderio alimenta, e il terrore di perdere protezione, stabilità e sicurezza, da cui l'uomo non può prescindere.

Amore è solo la chiave che ci apre le porte della nostra vita emotiva di cui ci illudiamo di avere il controllo, mentre essa, ingannando la nostra illusione, ci porta per vie e devianze dove, a nostra insaputa, scorre, in modo tortuoso e contraddittorio, la vitalità della nostra esistenza.

Tutti, chi più chi meno, abbiamo esperienza del fatto che l'amore si nutre di novità, di mistero e di pericolo e ha come suoi nemici il tempo, la quotidianità e la familiarità. Nasce dall'idealizzazione della persona amata di cui ci innamoriamo per un incantesimo della fantasia, ma poi il tempo, che gioca a favore della realtà, produce il disincanto e tramuta l'amore in un affetto privo di passione o nell'amarezza della disillusione.

L'amore svanisce perché nulla nel tempo rimane uguale a se stesso, specialmente quando si ha a che fare con le persone che la vita costringe a un inarrestabile cambiamento. Ma non è il cambiamento a degradare l'amore, siamo piuttosto noi a fare di tutto per degradarlo. E ci sono ottime ragioni per cui siamo interessati a questo degrado. La prima ragione è l'"impotenza psichica" di cui parla Freud a proposito dell'autolimitazione che noi operiamo della nostra capacità di desiderare e di sostenere il desiderio, per cui, scrive Freud: "Dove amiamo non proviamo desiderio, e dove lo proviamo non possiamo amare".[1]

Privo di desiderio, l'amore garantisce tenerezza, intimità, sicurezza, ma non prevede l'avventura, la tensione e il senso del rischio che alimentano la passione. Dal canto suo il desiderio senza amore è stimolante, eccitante, vibrante, ma non ha l'intensità e il senso di un'elevata posta in gioco che rendono profonda la relazione. Non ci è dato, se non per brevi attimi, di fare esperienza nello stesso tempo dell'amore e del desiderio verso la stessa persona. E questo perché l'amore, che nasce sotto il segno della stabilità e dell'eternità, vuole ciò che il desiderio rifiuta.

Il desiderio, infatti, non sa cosa vuole. È un atto infondato che trova insopportabile ogni gesto della ripetizione volto a confermare se stesso. Come una forza incontrollata irrompe nella stabilità dell'ordine, producendo nel senso, da tempo codificato, quel contro-senso che fa ruotare i discorsi senza immobilizzarli intorno a un dispositivo reale. Per questo nel discorso provoca la parentesi, l'interposizione. Insinuandosi come un incidente nella propria vita la fa traboccare, esponendola a un altro senso, quasi sempre fuorviante rispetto all'esigenza unitaria di una biografia.

E questo perché il desiderio, a differenza dell'amore che vuole costruzione e stabilità, è un movimento verso un punto di perdita. Non produce un altro linguaggio parallelo, autonomo o alternativo a quello dell'amore, ma solo eventi il più delle volte tra loro irrelati, che mirano

---

[1] S. Freud, *Beiträge zur Psychologie des Liebes-lebens* (1910-1917); tr. it. *Contributi alla psicologia della vita amorosa*, in *Opere*, Boringhieri, Torino 1967-1993, vol. VI, p. 413.

alla dissoluzione di tutto ciò che pretende di porsi come unico, come esemplare, come subordinante la ricchezza e la varietà del molteplice. Per questo, nel suo impulso, il desiderio non predispone una risposta e non contiene una soluzione. Non si lascia presiedere da alcuna logica. Se mai è ciò che rompe la logica del discorso, la sua grammatica, la sua sintassi. Il desiderio è ciò che nel discorso fa problema.

Come il vagabondo sfugge a ogni serie che pretende di includerlo come proprio elemento, e per il suo girovagare al di fuori di ogni struttura è perseguito, così il desiderio si muove al di fuori di ogni contesto che lo imprigiona, e la sua erranza è perseguita come errore. Un errore che non è il contrario della verità, ma la sua rottura.

Estraneo a ogni logica, il desiderio gioca, ma il suo gioco non ha regole, perché le regole sono la negazione del gioco, servono all'esclusione, al "fuori gioco". Nel gioco del desiderio le mosse non rispondono a un calcolo, non hanno un esito determinato. A regolare il campo non è la correttezza con la sua funzione pedagogica e morale di cui si nutre l'amore, perché il desiderio è scorretto. Con la sua natura paradossale rompe l'ortodossia del discorso amoroso. Lasciando agire in modo ec-centrico delle fascinazioni impreviste, de-centra l'ordine verso linee di fuga, dove si smarrisce il senso che una biografia ha faticosamente accumulato.

Ignorando il reciproco scambio sempre sotteso a ogni relazione d'amore, il desiderio conosce solo il *furto* e il *dono*. Per questo l'amore, che cerca sicurezza e stabilità, tende a spegnere i desideri che teme come il suo negativo più profondo, o a deviarli nella finzione dell'immaginario, come si deviano le forze temute di un fiume, scavandogli un letto artificiale o derivandone mille rigagnoli che si disperdono nella terra.

Di qui il successo dell'amore *on line*. La fantasia di scatenare il proprio desiderio con una persona che non c'è o non è accessibile, con l'estraneo misterioso, offre non solo la possibilità di esplorare il proibito e il precario, ma anche l'opportunità di fantasticare sul proibito e sul precario da un luogo più sicuro rispetto alle nostre relazioni reali, nelle quali non intendiamo permettere a noi stessi di destabilizzarci.

E così, per ridurre il rischio, separiamo la stabilità, a cui l'amore tende, dall'avventura che il desiderio agogna. E quando dico "avventura" non alludo a qualcosa di banale, ma a quel tratto che fa di un uomo un uomo che, a differenza dell'animale, è sempre proteso oltre di sé, in quella dimensione di cui si alimenta anche la cultura cristiana quando parla di "trascendenza", di "oltrepassamento" di ciò che ci è semplicemente dato. Il desiderio è *trascendenza*.

Ma salvo rare eccezioni, nessuno è disposto a giocare tutto se stesso nel fascino ignoto dell'avventura. Perché, anche per avventurarsi, bisogna partire da un luogo che mi dia il senso del "da dove vengo", "a cosa appartengo" e magari un giorno "dove desidero tornare". Non riusciamo infatti a immaginare una persona o una cultura che non si orientino a partire da un qualche senso di "casa" che Robert Lee Frost definisce come "il posto in cui, quando ci devi andare, ti devono accogliere".[2] Per questo "famiglia" e "familiare" hanno la stessa radice. Oltre all'avventura noi cerchiamo la continuità e l'identità per ancorarci, e quindi ciascuno a modo suo stabilisce una casa che difende dal rischio dell'avventura.

Per questo diciamo che non sono la quotidianità, la familiarità, l'abitudine a estinguere nella casa la passione amorosa, ma siamo noi a usare la quotidianità, la familiarità e l'abitudine per estinguere nella casa la passione amorosa, allo scopo di difendere il nostro nido dal rischio destabilizzante dell'avventura, che potrebbe sottrarci la sicurezza e l'accoglienza di cui, al pari dell'avventura, abbiamo un assoluto bisogno.

Impieghiamo infatti molto tempo a delimitare uno spazio familiare e a costruire una casa, ma fatichiamo a pensarci così bloccati dal bisogno di sicurezza da non sentire attrazione di essere, come dice Kerouac, ancora "on the road".[3] Così come è difficile immaginare dei no-

---

[2] R.L. Frost, *The Death of the Hired Man*, New York 1942, p. 17.
[3] J. Kerouac, *On the Road* (1957); tr. it. *Sulla strada*, Mondadori, Milano 1959.

madi tanto attratti dall'avventura da non sentire il monito di Nietzsche: "Guai a chi non ha casa!".[4]

E non si dica che gli uomini dipendono meno delle donne dal senso di familiarità e sicurezza. Al contrario l'identità maschile è destabilizzata più radicalmente di quella femminile dalla mancata accoglienza in una casa, come documentano le storie dei separati che sterminano la famiglia che più non li accoglie. Allo stesso modo le donne non sono meno avventurose degli uomini, ma hanno più paura dell'impatto che il loro spirito di avventura ha sugli aspetti tradizionali dell'identità femminile.

Come conciliare il bisogno di sicurezza e il desiderio di avventura? Come comporre la lacerazione di queste due istanze così profondamente radicate nel profondo della natura umana? Una strada ci sarebbe, ed è quella di accorgersi e di accettare il cambiamento continuo a cui ogni abitante della casa va soggetto nel corso della sua vita giorno dopo giorno. Un cambiamento che riconfigura la quotidianità, sbilancia la familiarità, infrange le abitudini, rende insolito e nuovo il tempo.

Quanto infatti è conoscibile e prevedibile un'altra persona? Quanto siamo prevedibili e conoscibili noi stessi? Non è che la prevedibilità, la conoscibilità, la quotidianità, la familiarità, l'abitudine sono i prodotti della nostra disattenzione all'altro, o addirittura strumenti che noi usiamo per spegnere la curiosità e la passione, che sono gli ingredienti del desiderio, allo scopo di garantirci la sicurezza? In fondo l'amore senza passione è noioso, ma sicuro.

Quanta felicità barattiamo in cambio della sicurezza? Quanti cambiamenti dell'altro ignoriamo per garantirci un partner prevedibile? L'abitudine uccide il desiderio. E siccome in qualche modo lo sappiamo, non è raro che trasformiamo in abitudini le persone che amiamo, e attraverso questa degenerazione protettiva ci garantiamo la sicurezza della casa, e ci difendiamo dalla vulnerabilità intrinseca dell'amore.

[4] F. Nietzsche, *Die fröhliche Wissenschaft* (1882); tr. it. *La gaia scienza*, in *Opere*, Adelphi, Milano 1965, vol. V, 2, § 253, p. 156.

Se ci persuadiamo che l'esperienza umana è per natura mutevole e ciascuno di noi va incontro a un cambiamento continuo, allora diciamo che la sicurezza è una nostra fantasia che cerchiamo di realizzare immobilizzando l'altro in un nostro schema, mentre l'avventura che promuove il desiderio è la realtà. Ma per il timore che l'avventura ci destabilizzi non la ospitiamo in casa, al massimo le concediamo fuori casa il tempo di una notte. Troppo poco per rispondere allo spirito d'avventura, di novità e di cambiamento che caratterizza l'uomo e il suo lacerato modo di amare.

8.

Amore e idealizzazione

La forza dell'idealizzazione e l'insano realismo

> Chiamiamo "idealizzazione" quella tendenza che falsa il giudizio, [...] come avviene ad esempio invariabilmente nel caso delle infatuazioni amorose, dove l'Io diventa sempre meno esigente, più umile, mentre l'oggetto sempre più magnifico, più prezioso, fino a impossessarsi da ultimo dell'intero amore che l'Io ha per sé, di modo che, quale conseguenza naturale, si ha l'autosacrificio dell'Io. L'oggetto ha per così dire divorato l'Io.
>
> S. FREUD, *Psicologia delle masse e analisi dell'Io* (1921), pp. 300-301.

"Come te non c'è nessuno. Tu sei l'unico al mondo", era l'attacco di una canzone che Rita Pavone cantava negli anni sessanta. Non so se Rita Pavone, allora ragazzina, avesse letto *Frammento di una gnoseologia dell'amore* che il filosofo Giovanni Gentile aveva scritto nel 1918.[1] Ma quella canzone e quel breve saggio di Gentile dicono la stessa cosa, che è poi una grande verità: non ci si può innamorare se non si idealizza la persona amata, se la fantasia non interviene a farne qualcosa di unico, di inequiparabile. Certo, più si scalano le montagne più pericolosi diventano i precipizi. Ma senza la prossimità dei precipizi, alle altezze che si è voluto raggiungere non c'è brivido. Nel nostro caso brivido d'amore.

Quando Gentile nel 1918 scriveva il suo *Frammento di una gnoseologia dell'amore* la psicoanalisi cominciava la costruzione del suo edificio all'insegna dell'"esame di

---

[1] G. Gentile, *Frammento di una gnoseologia dell'amore* (1918), in *Teoria generale dello spirito come atto puro*, in *Opere*, Sansoni, Firenze 1959, vol. III, pp. 11-13.

realtà". Chiamava "nevrotici" quelli che costruiscono castelli di sabbia e "psicotici" quelli che li abitano, perché gli uni e gli altri si allontanano da quel "sano realismo" che è proprio della realtà specifica, chiara e affidabile, per abitare gli uni un mondo fantastico, gli altri un mondo delirante.

Agli innamorati che idealizzano la persona amata, la psicoanalisi ricorda che l'idealizzazione è una regressione infantile, perché trasferisce sulla persona amata quel senso di unicità che da bambini attribuivamo ai nostri genitori, quando li sopravvalutavamo perché da loro dipendeva la nostra vita e ancora non avevamo visto le loro ombre.

Se l'idealizzazione dei genitori è utile ai bambini perché crea in loro quella fiducia di base necessaria per crescere con un minimo di rispetto di sé, è terribilmente pericolosa quando ci si innamora, perché gli ideali si appannano facilmente, gli incantesimi si spezzano, gli effetti magici si dissolvono, i trucchi prima o poi vengono a galla. Dopo la prima notte di passione trascorsa insieme Romeo e Giulietta temono la luce, perché l'aspra luce del mattino dissipa, il giorno dopo, l'incanto del chiaro di luna.

Fin qui le parole della psicoanalisi, ma il suo discorso all'insegna del "sano realismo" prosegue avvertendoci che l'idealizzazione ci impoverisce, perché tutto ciò che ha valore è collocato nell'altro. E se l'altro non ricambia l'idealizzazione di cui è stato investito, se quanto abbiamo trasferito in lui non ritorna, allora o siamo capaci di rompere l'incantesimo e vedere l'altro in una prospettiva più sobria e realistica, o precipitiamo nel rifiuto di noi stessi, svuotati come siamo di ogni nostro valore che nell'idealizzazione abbiamo attribuito all'altro.

E allora se non è suicidio è inconsolabile depressione. Idealizzando l'altro, ci siamo svalutati e staccati dalla realtà. E siccome la nostra stabilità dipende dalla valutazione accurata del reale, innamorarsi idealizzando, come suggeriscono la canzone di Rita Pavone e il saggio di Giovanni Gentile, per la psicoanalisi è molto pericoloso.

Pericoloso, ma inevitabile. Perché il desiderio non si attiva senza idealizzazione, senza immaginare nell'altro quelle qualità che lo rendono unico, speciale, straordinario. Freud credeva che la fantasia fosse opposta alla realtà e la oscurasse, e che l'immaginazione, che arricchisce la realtà e non di rado la inventa, fosse nemica della percezione che invece la riproduce fedelmente.

Ma dopo Freud, la fenomenologia, e in particolare Merleau-Ponty, ci hanno fatto constatare che l'immaginazione e la fantasia, di cui l'idealizzazione amorosa è una figura, influenzano la nostra percezione della realtà, per cui ciascuno vede le cose a modo suo affacciandosi dalla finestra del proprio castello di sabbia preferito.[2] E questo perché la percezione della realtà non è qualcosa di passivo, ma una costruzione attiva, dove l'immaginazione, la fantasia, il desiderio intervengono a trasfigurare i dati di realtà, affinché questi possano assumere un senso per noi.

Da questo punto di vista l'oggettività è un ideale impossibile, è il desiderio di pervenire a una sicurezza che non sarà mai raggiunta. Forse anche nelle vicende d'amore vale il principio formulato dal fisico Werner Heisenberg secondo cui le condizioni in cui si attua un'osservazione modificano l'osservato.[3] Infatti quel che si scopre di un'altra persona dipende in gran parte da chi noi siamo e da come l'avviciniamo.

La stessa cosa possiamo dire per quella conoscenza di sé che l'oracolo di Delfi assegnava a ciascuno come compito della sua vita. Compito infinito, perché conoscere una versione di sé può essere un modo per difendersi dalla conoscenza di altre versioni di sé e dalle sorprese che ne potrebbero derivare. Diremo allora che la convinzione di conoscere realmente l'altro in modo oggettivo, affidabile e prevedibile è una delle tante illusioni, anzi, forse l'ultima illusione promossa da quella passione che non vuole mai incontrare la delusione.

---

[2] M. Merleau-Ponty, *Phénoménologie de la perception* (1945); tr. it. *Fenomenologia della percezione*, il Saggiatore, Milano 1972, Parte II: "Il mondo percepito".
[3] W.K. Heisenberg, *Über den anschaulichen Inhalt der quantentheoretischen Kinematik und Mechanik* (1927); tr. it. *I principi fisici della teoria dei quanti*, Utet, Torino 1963.

Dipendiamo dagli altri e perciò siamo portati a costruirli nei termini più stabili e conoscibili possibili, perché solo mantenendo la passione, il desiderio, l'entusiasmo, l'idealizzazione al minimo minimizziamo anche la delusione e la rabbia, fino al punto di rimuovere selettivamente le qualità davvero reali e desiderabili dell'altro che un tempo avevano infiammato la nostra passione. Questa è l'oggettività. Una difesa dalla delusione.

Il nostro desiderio di sicurezza e la nostra sete di passione ci spingono in direzioni opposte. Qualsiasi eccitazione idealizzante, infatti, mette l'amante in pericolo, perché l'idealizzazione può non essere ricambiata, l'amore può non essere corrisposto. E allora si troncano gli amori sul nascere, non perché l'idealizzazione viene meno a contatto con la realtà e la familiarità, ma per non dipendere da una idealizzazione appassionata che può mettere a rischio la sicurezza e la prevedibilità di cui in una relazione sentiamo il bisogno.

Le caratteristiche adorate dell'altra persona possono anche non essere affatto illusorie, ma siccome perdere chi è "unico al mondo" è molto più doloroso che perdere uno qualsiasi, dall'idealizzazione di solito ci si difende o troncando la relazione dopo il primo incontro, o aggrappandosi alle imperfezioni e ai difetti della persona amata per tenere a bada la fascinazione. Meglio spegnere subito una stella o offuscarne la luce, piuttosto che correre il rischio che quella stella non splenda per noi. Brividi sì, ma brividi sicuri.

Quando cerchiamo di assicurarci una certa stabilità degradando le idealizzazioni, diciamo di noi che siamo più saggi e ne sappiamo di più. Ma non è assolutamente certo che il terreno stabile che cerchiamo con il nostro "sano realismo" sia più reale delle idealizzazioni che incendiano le nostre passioni. In realtà quel terreno è solo selezionato per scopi diversi, di solito di natura difensiva, per eludere la delusione. Ma evitando il rischio della delusione, ci ricorda Giovanni Gentile nel suo *Frammento di una gnoseologia dell'amore*, si evita anche di costruire e trasformare la realtà. Infatti, scrive il filosofo:

Amare è volere. Se amiamo ciò che ha pregio e risponde all'ideale è perché quell'ideale non c'è e con l'amore lo vogliamo realizzare [...]. Ora quello che noi vogliamo, appunto perché lo vogliamo, non c'è già al mondo. Noi non vogliamo la terra, ma il possesso della terra, ossia la terra che sia nostra, da noi posseduta, ed entrata a far parte della nostra vita. Allo stesso modo amiamo un essere animato, allo stesso modo amiamo un essere spirituale o umano, una persona. La quale, amata da noi, è ricreata dal nostro amore.[4]

Il messaggio è chiaro. Amore non è una condizione passiva, ma una costruzione attiva che trasforma una realtà per sé insignificante in una fascinazione, grazie a quell'idealizzazione che l'amore vuole realizzare. Perché amore è innanzitutto *attiva creazione* e non *passiva soddisfazione*. Capaci d'amore non sono mai coloro che stanno in attesa dell'incontro della loro vita, ma coloro che lo creano trasformando il reale secondo il proprio ideale. Infatti, scrive ancora Giovanni Gentile:

La persona amata è quella ricreata dal nostro amore. È ricreata immediatamente e mediatamente: essa, cioè, è un nuovo essere per noi fin da quando prendiamo ad amarla; ma si fa realmente un essere sempre nuovo, si trasforma continuamente in conseguenza del nostro amore, che agisce su di essa, conformandola a grado a grado sempre più energicamente al nostro ideale. Insomma, l'oggetto dell'amore, qualunque esso sia, non preesiste all'amore, ma è da questo creato. Vano quindi cercarlo con l'intelligenza astratta, che presume di conoscere le cose come sono in se stesse. Su questa via non può trovarsi se non la mancanza di ciò che si ama ed è degno perciò d'essere amato. Si trova il difetto, il male, il brutto: ciò che non si amerà mai, perché, per definizione, è ciò che invece si odia.[5]

Attenti dunque al "sano realismo". Come dice Wallace Stevens, esso è l'ultima illusione che costruiamo per difenderci anticipatamente dalla disillusione.[6] Ma in queste regioni, abitate dalla prudenza scambiata per "esame di realtà", non è dato incontrare le case d'Amore.

[4] G. Gentile, *Frammento di una gnoseologia dell'amore*, cit., p. 12.
[5] Ivi, pp. 12-13.
[6] W. Stevens, *Sunday Morning* (1915); tr. it. *Mattino domenicale e altre poesie*, Einaudi, Torino 1954.

9.

Amore e seduzione

La trasparenza delle vesti e l'inganno del desiderio

> La seduzione non si basa sul desiderio o sull'attrazione: tutto questo è volgare meccanica e fisica carnale, nulla di interessante. Certo, il fascino della seduzione passa attraverso l'attrattiva del sesso. Ma, propriamente, vi passa attraverso, la trascende. Per la seduzione, infatti, il desiderio non è un fine, ma un'ipotetica posta in gioco. Anzi, più precisamente, la posta in gioco è provocare e deludere il desiderio, la cui unica verità è brillare e restare deluso.
>
> J. BAUDRILLARD, *Il destino dei sessi e il declino dell'illusione sessuale* (1992), p. 87.

"Bisogna essere realisti" dice un imperativo del nostro tempo. "Bisogna evitare le fughe dalla realtà" che, tradotto, significa: "Bisogna subire la realtà nel suo spessore opaco e greve". E così, nel fluire della vita quotidiana, una rigida economia razionale ci porta a prescindere dai molti rapporti d'esperienza a cui avremmo accesso se appena infrangessimo la realtà, il suo spessore greve e pieno, e seguissimo quelle linee di fuga che potrebbero essere imboccate se trattassimo la realtà come un velo trasparente, che si lascia attraversare dallo sguardo nella direzione dell'*ir-reale* e del *de-reale*.

La *trasparenza*, infatti, guarda la realtà per quel minimo che suggerisce l'aspetto nascosto di un significato o la direzione cui rinvia un suo rimando. Così facendo la trasparenza persegue una richiesta di senso al di là dell'opacità del reale e, per quel minimo, allarga l'orizzonte e lo scenario dischiuso dall'immaginazione, che è poi il motore della storia. Come scrive Jean Baudrillard:

Attraverso lo specchio prismatico della seduzione si perviene a un alto spazio di rifrazione. Essa consiste non nell'apparenza semplice, non nell'assenza pura, ma nell'eclissi di una presenza. La sua unica strategia è esser là e non esser là, e assicurare così una sorta di ammiccamento intermittente, dispositivo ipnotico che cristallizza l'attenzione al di là di ogni effetto di senso. Qui l'assenza seduce la presenza.[1]

Se il corpo nudo è la realtà, il corpo che si lascia *intra-vedere* sotto la trasparenza delle vesti non è abbastanza definito per bloccare l'immaginazione, e non è abbastanza nascosto per non suscitarla. In questo frammezzo tra il visibile e l'invisibile, io scopro il mio desiderio nelle peripezie che solo il gioco ambiguo della presenza e dell'assenza inaugura come desiderio dell'oltrepassamento e quindi dell'al di là. Identico è il meccanismo che oltrepassa il mondo in cerca di Dio senza incontrarlo, o che oltrepassa le vesti per afferrare un corpo che, solo sfuggendo, alimenta il desiderio.

Il desiderio, infatti, non sa cosa vuole. È un atto infondato che trova insopportabile ogni gesto della ripetizione con cui la realtà conferma se stessa, e perciò si trova in ogni inciampo, in ogni atto mancato, in ogni fessura della realtà, che lascia *tras-parire*, rispetto a ciò che è presente, un'ulteriorità di senso che, misurato sul reale, è irreale o de-reale.

Ir-reale è la situazione che, per concessione della trasparenza, scruta e fruga il corpo dell'altro come se volesse scoprire qualcosa che va al di là della sua anatomia, qualcosa che assomiglia al gioco dei bambini che smontano l'orologio per scoprire che cos'è il tempo.

De-reale è la sorte dell'orologio distrutto nella sua realtà per dar corpo al desiderio di una scoperta. Quando, infatti, per concessione della trasparenza, ci si incammina lungo quel percorso che culmina nella fascinazione di un corpo, che le vesti lasciano tras-parire, allora si scopre che ciò che affascinava non era quel corpo, ma l'incarnazione che esso realizzava del nostro desiderio.

[1] J. Baudrillard, *Il destino dei sessi e il declino dell'illusione sessuale*, in AA.VV., *L'amore*, Mazzotta, Milano 1992, p. 86.

La trasparenza non è allora un percorso che, parten-
do dall'avidità del nostro sguardo, giunge a toccare il corpo dell'altro. La trasparenza è un moto inverso: deopa-
cizza il corpo dell'altro per trasformarlo in uno specchio
che riflette il nostro desiderio. Sembra infatti che non
possiamo conoscere i nostri desideri se il corpo dell'altro
non ce li riflette, ma per questo è necessario che il corpo
dell'altro rinunci alla sua opacità, che avidamente assorbe ogni sguardo senza restituirlo, e si faccia superficie di
riflesso, in modo da consentire al desiderio di chi guarda di tras-parire.

Grazie alla trasparenza, il corpo dell'altro, ma qui potremmo dire anche il mondo, gioca alla vita come dietro
a un vetro o immerso in un acquario. Io lo vedo vicinis-
simo e tuttavia separato, e con quel tanto di mobilità dei
confini che concede al desiderio, macchina dell'immaginario e quindi dell'ir-realtà e della de-realtà, di sconfinare. E sconfinare significa semplicemente vivere, perché
la "prova di realtà" è la morte, l'unica capace di mostrarmi
che l'oggetto del desiderio ha cessato di esistere, e che da
lui non posso aspettarmi niente, non potendo su di lui
investire neppure la mia infelicità.

Nella sua opacità la realtà è perentoria. Ha sempre
l'ultima parola, quella che chiude il sipario e abolisce la
trasparenza. L'immagine diventa allora senza enigma e
perciò crudele, perché mi esclude la possibilità di scoprire, a cui invece la seduzione richiama.

Si capisce a questo punto perché la seduzione non si
fida della natura. Un corpo nudo come natura l'ha fatto
non è seducente senza l'intervento dell'artificio, in grado
di scongiurare la semplice nudità e cancellare la natura-
lità di un corpo in sé e per sé insignificante. Senza l'ammiccamento, senza il gioco dell'apparire e dello sparire,
senza la provocazione del desiderio in vista della sua delusione, senza un oltrepassamento del corpo e del suo essere semplicemente nudo, in vista di quel vuoto che è poi
l'anima dell'altro sognata sempre nella sua ingannevole
complicità, non si dà vicenda erotica.

Qui il rinvio alla trascendenza che la seduzione dischiude può essere arrestato da quella messa in scena che

della seduzione è solo la parodia. È il caso della bocca chiamata dal parossismo della seduzione a simulare il sesso femminile. È una bocca semiaperta e semichiusa che non può parlare, né mangiare, né baciare, perché solo nella negazione delle sue funzioni naturali può fare la sua comparsa la funzione erotica. Lo stesso vale per gli occhi, sofisticati e disposti in modo che non si aprano su niente e non guardino nessuno, per cui chi li ammira non incontra un soggetto, ma un oggetto seducente che impegna solo il proprio onanismo.

Il corpo spogliato e artificialmente prodotto per la seduzione non dispiega una *scena* intorno a sé, in cui anche le cose dicono le sue intenzioni, ma è semplicemente *messo in scena*, e perciò è *o-sceno*, perché è offerto secondo quelle regole del gioco che lo fanno più nudo di quel che sia. Nudo della nudità del cerimoniale erotico che rende il corpo inespressivo, perché ogni espressione è demandata alle vesti, agli accessori, ai gesti, alla musica, alle luci, secondo le tonalità che la tecnica sapientemente distribuisce, per creare il desiderio al solo scopo di arrestarlo davanti alla "messa in scena", dove non si celebra la trascendenza del corpo, ma la sua opacità. In questo caso la seduzione gioca con la morte, e quindi, per sadica che sia, è sempre irrimediabilmente masochista.

Infatti, se il modello di riferimento della seduzione è il corpo nudo della donna-copertina che gli stilisti della moda incessantemente ci propongono, ebbene si tratta di una donna desessualizzata nel momento stesso in cui gli stilisti la rivestono o la spogliano, mettendo così in scena una sorta di spettacolo della paura, come se l'erotismo dovesse arrestarsi alle soglie dei loro abiti, portati con quei gesti rituali che vogliono a un tempo provocare l'idea del sesso e insieme la sua esorcizzazione.

Dopo aver ridotto il pubblico a semplice rappresentante di un generico voyeurismo, la finzione seduttiva, che probabilmente teme la donna, maschera la sua paura accarezzando il corpo femminile con tutta la delicatezza del suo raffinato manierismo e, dopo aver agghindato la sua creatura con tutti gli accessori e gli stereotipi di cui è capace, finisce per inghiottirla nell'insignifi-

canza, ostentando la sua nudità al solo scopo di render-
la inaccessibile, e al limite esorcizzarla.

Alcuni frammenti di erotismo, appena accennati dalla deambulazione sulla passerella, sono riassorbiti in quel
rituale rassicurante che è il *sistema (economico) della moda*, che cancella l'elemento della sessualità femminile con
tanta decisione e sicurezza, quanto un buon vaccino può
fare nei confronti di una malattia.

E allora a fiumi quell'esotismo stereotipato che allontana il corpo della donna nel favoloso e nel romanze-
sco, all'unico scopo di ridurre la donna a puro e semplice oggetto travestito, al punto che, se il nudo traspare,
resta anch'esso un nudo irreale, perfettamente chiuso come un bell'oggetto sfuggente e astratto, per la sua lontananza e stravaganza, rispetto alla consuetudine umana.
Nella moda, infatti, tutto ciò che è femminile, seducente e invitante è avvolto in quell'atmosfera di purezza dia-
fana che spranga la femminilità come potrebbe fare una
porta trasparente e blindata di una gioielleria, dove la
donna è esposta come una pietra preziosa e, in questa
preziosa esposizione, irriducibilmente ridotta a oggetto
totale e inutile.

L'ondulazione debolmente ritmata delle modelle in
passerella, contrariamente al giudizio corrente, non è per
nulla un fattore erotico, anzi probabilmente è addirittura il contrario: serve a scongiurare il timore dell'immo-
ralità. Non c'è infatti nulla di più efficace del gesto rit-
mato e cadenzato, gesto rituale visto mille volte, per ricoprire di monotonia l'intenzione allusivamente sessuale, dove il sesso gioca un ruolo parassitario, in una lontananza che lo rende per lo meno improbabile. Questa
lontananza nasconde la donna nuda sotto l'indifferenza
glaciale dell'abile professionista, rifugiata con alterigia
nella certezza della tecnica che la riveste più dell'abito
che indossa.

Questo tipo di donna, così guardata ed esposta, così
sessualmente indifferenziata, se da un lato ci dispensa
dal ricevere profondamente l'immagine nel suo scanda-
lo, dall'altro diventa il modello di milioni di donne, che
più non sanno se devono mangiare o non mangiare, ac-

crescersi o ridursi il seno, avvitarsi la pancia o torcersi il collo, dipingersi la faccia o intonacarla, nel tentativo di raggiungere quell'idea platonica di femminilità che l'ambiguo sguardo della moda ha messo in circolazione tra l'asessuato e l'equivoco, e che, malamente imitato dalle donne di tutti i giorni, approda a quei visi da totem e a quegli occhi da triste vegetale, dove la ricerca dell'essenza rarefatta della bellezza cancella irrimediabilmente le ultime tracce di una possibile bellezza che abbia ancora qualche parentela con la seduzione.

La seduzione si esercita lasciando vedere il nascosto o, come dice Roland Barthes, "attraverso l'evidenza del 'sotto'".[2] Sembra, infatti, che i capi di vestiario siano animati da una specie di forza centrifuga, attraverso cui l'interno è costantemente sospinto verso l'esterno, mostrandosi, sia pure parzialmente, al collo, ai polsi, davanti al busto, in fondo alla gonna, creando quel misto sospeso tra *evidente* e *nascosto* in cui s'intreccia il gioco estetico ed erotico, dove la regola è di far vedere il nascosto senza distruggere il suo carattere segreto. Interprete rigoroso del principio freudiano: "Dove c'è tabù, c'è desiderio",[3] la moda gioca la sua seduzione sulla fondamentale ambivalenza degli indumenti, incaricati di indicare una nudità nel momento stesso in cui la nascondono.

Eppure niente meglio del gioco erotico della finzione seduttiva distoglie la pulsione sessuale dal suo fine naturale che è l'unione dei sessi, per trattenerlo in quello spazio estetico che si alimenta e si esaurisce nell'esibizione del *nascosto*, nella sottolineatura paradossale del *segreto*. Per il fatto stesso che il vestito copre, esso suscita il desiderio irresistibile di scoprire. Questa curiosità spinge a rinnovare incessantemente gli artifici per coprirsi e scoprirsi, affinché la tentazione, che tende sempre più a riassorbire nel suo attimo l'episodio sessuale, non si affievolisca.

Dividere e ricongiungere non sono più azioni dei cor-

    [2] R. Barthes, *Système de la mode* (1967); tr. it. *Sistema della moda*, Einaudi, Torino 1970, p. 156.
    [3] S. Freud, *Totem und Tabu* (1912-1913); tr. it. *Totem e tabù*, in *Opere*, Boringhieri, Torino 1967-1993, vol. VII, p. 43.

pi, ma giochi delle vesti che, simulando la sessualità, la risolvono nel fantastico, sottraendola al reale. Il vestito "senza cuciture" simula nell'indumento un corpo entrato senza aver lasciato tracce del suo passaggio. Le varianti di continuità intervengono pesantemente nel gioco della simulazione, dove dividono o non dividono, ricompongono o lasciano disgiunto, creando quella discontinuità dell'indumento dove il corpo si mostra o si schiva, e dove l'indumento, attraverso il gioco delle rotture e delle saldature, si lascia disintegrare qua e là, assentandosi parzialmente, per tornare a giocare con le nudità di un corpo che sempre più si sottrae, per consegnarsi irrimediabilmente al sistema del piacere narcisistico della seduzione.

A questo tipo di seduzione siamo giunti perché il corpo è stato liberato da due catene che hanno sempre accompagnato il suo incedere nella storia, dove abbiamo conosciuto un *corpo di fatica* e un *corpo di riproduzione*. Maschile il primo, femminile il secondo, il corpo era segnato da queste due mansioni che scandivano il suo senso per la vita.

Ora tutto questo non è più necessario. La riproduzione è sempre meno essenziale, la fatica è sempre più delegata alla macchina, per cui sempre più abbiamo a che fare con corpi liberi da codici che, giocando in modo eccentrico dei significati imprevisti, decentrano il loro senso verso linee di fuga, dove si smarrisce il sistema dei valori che la tradizione ha costruito sul corpo di fatica e sul corpo di riproduzione.

Eppure, anche se oggi il corpo si apre in un campo di dispersione, non per questo è impossibile utilizzarlo come energia produttiva. E ciò avviene incanalando i desideri e mettendo in scena lo spettacolo della *se-duzione* in vista della *pro-duzione*. Nella nostra società, infatti, che più non conosce il corpo di fatica e il corpo di riproduzione, ogni corpo "liberato" è liberato solo perché è già stato catturato dalla rete del mercato e dall'ordine delle sue parole.

A questo sistema di "liberazione" dà man forte tutta quella letteratura sul corpo che lo mobilita non per una manifestazione delle sue potenzialità espressive, ma per

un'emancipazione programmata in vista di uno sfrutta-
mento più razionale e sistematico. E così, paradossalmente, questa "scoperta del corpo", che si vuole presen-
tare come premessa per la sua liberazione, è utilizzata
per liquidare il corpo in quello spazio unitario e omoge-
neo che è il sistema economico e la sua produzione.

Questa, non più interessata al corpo come *forza lavoro*, ne sfrutta, attraverso la seduzione, la *forza del desiderio*, allucinandolo con quei bisogni da soddisfare, quali
la bellezza, la giovinezza, la salute, la sessualità, che sono poi i nuovi valori da vendere. Mobilitato nello spettacolo della seduzione, il corpo diventa quell'istanza glo-
riosa, quel santuario ideologico in cui l'uomo consuma
gli ultimi resti della propria alienazione.

Tutta la religione della spontaneità, della libertà, della creatività, della sessualità gronda del peso del produt-
tivismo; anche le funzioni vitali si presentano immediatamente come funzioni del sistema economico. La stessa
nudità del corpo, che pretende di essere emancipata e pro-
gressista, lungi dal trovare la naturalezza al di là degli abiti, dei tabù e della moda, passa accanto al corpo come
equivalente universale dello spettacolo delle merci, per
scrivere i suoi segni univoci, che si evidenziano nel linguaggio dei bisogni indotti e dei desideri manipolati.

Nella nostra società, infatti, la cultura di massa uni-
fica le ideologie e le sovrastrutture e, grazie alla seduzione, dà in uso, a classi che non possiedono le disponibilità economiche per consumarli, prodotti di cui molto
spesso esse non consumano che le immagini. Ma, anche
là dove le disponibilità economiche non mancano, il desiderio ormai codificato non si riferisce tanto agli oggetti, quanto alle *immagini molto più ampie* che, grazie alla
seduzione, gli oggetti acquistati suggeriscono. E spesso
sono solo queste ultime a essere consumate.

Ma l'immagine è parola *rubata* e *restituita*. Solo che,
come ci ricorda Roland Barthes: "La parola che ci viene
riportata non è più interamente quella sottratta. Nel ri-
portarla non la si è messa esattamente al suo posto".[4] Que-

---

[4] R. Barthes, *Mythologies* (1957); tr. it. *Miti d'oggi*, Einaudi, Torino 1974,
p. 207.

sto rapido furto, questo breve momento di una falsifica-
zione è l'effetto mistificatorio della seduzione, che intrap-
pola il corpo messo in scena sul registro dell'immaginario.

La vera seduzione, infatti, è possibile solo quando il
corpo mantiene tutta la sua *polivalenza di senso*, e non si
riduce a quel significato univoco che è il sesso, così come nella nostra cultura attuale è stato codificato. Mettere in primo piano la sessualità, "liberarla" come è negli
intenti di quanti, come Foucault, sono convinti di "aver
sopportato e di subire ancora oggi un regime vittoriano,
dove la puritana imperiale apparirebbe sul blasone della nostra sessualità contenuta, muta, ipocrita",[5] ebbene
costoro non si rendono conto che, nonostante le loro buone intenzioni, con la loro "volontà di sapere" non fanno
che neutralizzare ancora una volta la polivalenza di senso del corpo, per ridurlo a quel *solo* significato che è il
sesso. Per cui, non dico di Foucault, ma in generale, la
loro "liberazione sessuale" si riduce alla liberazione del-
l'indumento, che già a sua volta, lungi dal vestire il corpo, era lui a essere vestito di sessualità.

Per rendercene conto basta un confronto con i primitivi. Essi giravano nudi perché tutto il loro corpo era volto, cioè espressione simbolica dove i corpi, guardandosi,
si scambiavano tutti i loro segni che si consumavano in
una relazione reciproca, senza riferirsi al solo codice della sessualità. Noi abbiamo solo il volto scoperto, perché il
resto del corpo lo abbiamo reso inespressivo, per averlo
consegnato per intero al codice della sessualità.

E la seduzione, quando limita il suo spazio espressivo al solo codice della sessualità, non fa che avvinghiare
con un altro giro di corda un corpo reso già da tempo
inespressivo, perché, nonostante i giochi di seduzione, o
proprio per questo, gli si è tolta la *sua* parola: la *polivalenza dei significati*, la sua disponibilità per tutti i sensi
non ancora catturati dal codice.[6]

---

[5] M. Foucault, *La volonté de savoir* (1976); tr. it. *La volontà di sapere*, Feltrinelli, Milano 1978, p. 9.

[6] Per un approfondimento di questo tema si veda U. Galimberti, *Il corpo*
(1983), Feltrinelli, Milano 2002, e in particolare la Parte IV: "Sociologia del
corpo: l'iscrizione".

10.

Amore e pudore

La specificità dell'individuo e l'angoscia della genericità

> Né Dio né l'animale possono provare vergogna. Soltanto l'uomo non può farne a meno.
>
> M. SCHELER, *Pudore e sentimento del pudore* (1933), p. 22.

Dio non ha pudore perché non ha corpo. L'animale non ha pudore perché non ha il senso della propria individualità. L'uomo, che ha corpo e individualità, esprime nel pudore la dialettica contrastante di queste due dimensioni che così intimamente lo costituiscono e lo lacerano.

Ciascuno di noi, infatti, ospita due soggettività. Una che dice *Io*, con cui siamo soliti identificarci, e una che ci prevede *funzionari della specie* per la sua continuità. Amore, che gioca sul doppio registro della nostra soggettività, prevede che ad amare e a essere amato sia il nostro Io, ciò che intimamente ci costituisce e ci individua e, contro la sessualità generica e non individuata, erge la barriera del pudore.

Per questo le prostitute non baciano i clienti. Pur nell'offerta incondizionata del loro corpo, sanno di non essere cercate e volute nella loro individualità, e perciò tengono distinta la sessualità che cerca il *piacere* (con cui la specie adesca l'individuo per garantire la propria continuità) dalla sessualità che cerca l'*individuo* nella sua unicità inconfondibile.

La stessa cosa può dirsi per quell'uomo o per quella donna che rifiutano di essere amati come qualsiasi altro uomo o qualsiasi altra donna. Nel loro rifiuto è il pudore a ergersi come criterio estremamente preciso per misurare la dinamica dei due tipi di sessualità: la sessualità promossa dalle esigenze della specie che non riconosce l'individuo, e la sessualità promossa dall'individuo che vuole l'altro individuo e nessun altro. Se così stanno le cose, allora possiamo dire che il pudore è quel *sentimento che difende l'individuo dall'angoscia di naufragare nella genericità animale* e, rinunciando a se stesso, percepirsi come semplice funzionario della specie.

Non è quindi vero che il pudore *limita* la sessualità, il pudore la *individua*, sottraendola a quella genericità in cui si celebra il piacere nel misconoscimento dell'individuo. Per questo c'è un rifiuto a concedersi sessualmente finché l'amore non è certo e provato. E questo soprattutto nella donna, in cui il legame con il corpo e con la pulsione riproduttiva è più forte di quanto non lo sia nell'uomo, e quindi più incerto il confine del riconoscimento di sé come quella certa individualità da non confondere con le altre.

Il pudore, allora, è quel sentimento che consente, a partire dalla pulsione sessuale, già di per sé sufficiente alla conservazione della specie, e quindi priva di una funzione elettiva, di *scegliere* chi, oltre alle esigenze della specie, risponde al riconoscimento dell'individuo, alla sua specificità, fin dentro la sua intimità che lo rende unico e inconfondibile.

Se chiamiamo "intimo" ciò che si nega all'estraneo per concederlo a chi si vuol fare entrare nel proprio segreto profondo e spesso ignoto a noi stessi, allora il pudore, che difende la nostra intimità, difende anche la nostra *libertà*. E la difende in quel nucleo dove la nostra *identità* personale decide che *relazione* instaurare con l'altro. Il pudore allora non è una faccenda di vesti, sottovesti o abbigliamento intimo, ma una sorta di vigilanza dove si decide il grado di apertura e di chiusura verso l'altro. Si può infatti essere nudi senza nulla concedere, senza aprire all'altro neppure una fessura della propria anima. La nudità del nostro corpo non dice ancora nulla sulla nostra disponibilità all'altro.

Siccome agli altri siamo irrimediabilmente esposti, e dallo sguardo degli altri irrimediabilmente oggettivati, il pudore è un tentativo di mantenere la propria *soggettività*, in modo da essere segretamente se stessi in presenza degli altri. E qui l'*intimità* si coniuga con la *discrezione*, nel senso che, se "essere in intimità con un altro" significa "essere irrimediabilmente nelle mani dell'altro", nell'intimità occorre essere discreti e non svelare per intero il proprio intimo, affinché non si dissolva quel mistero che, interamente svelato, estingue non solo la fonte della fascinazione, ma anche il recinto della nostra identità che a quel punto non è più disponibile neppure per noi.

Adamo ed Eva, che si aggiravano nel paradiso terrestre in ingenua nudità, non appena gustarono il pomo della sapienza "s'accorsero d'essere nudi e ne provarono vergogna".[1] È una vergogna che non nasce dalla nudità del loro corpo, ma dallo sguardo di Dio che li *mette a nudo*. Erano nudi, ma solo dopo quello sguardo *divennero* nudi e perciò si nascosero e fuggirono. Che senso dare a questo nascondersi e fuggire, a quelle "foglie di fico cucite insieme a guisa di cinture",[2] a quelle prime rudimentali vesti adottate per nascondere la propria vergogna? Sartre ha visto bene a questo proposito là dove afferma che:

> La vergogna non è il sentimento di essere questo o quell'oggetto criticabile; ma, in generale, di essere *un* oggetto, cioè di *riconoscermi* in quell'essere degradato, dipendente e cristallizzato che io sono per altri. La vergogna è il sentimento della *caduta originale*, non del fatto che abbia commesso questo o quell'errore, ma semplicemente del fatto che sono "caduto" nel mondo, in mezzo alle cose, e che ho bisogno della mediazione d'altri per essere ciò che sono. Il pudore, e in particolare il timore di essere sorpreso in stato di nudità, non sono che specificazioni simboliche della vergogna originale: il corpo simbolizza qui la nostra oggettività senza difesa. Vestirsi significa dissimulare la propria oggettività, reclamare il diritto di vedere senza essere visto, cioè d'essere puro soggetto. Per questo il simbolo biblico della caduta, dopo il peccato originale, è il fatto che Adamo ed Eva "capiscono di essere nudi".[3]

Alla luce dell'interpretazione sartriana, la definizione hegeliana del pudore come "l'inizio dell'ira contro qualcosa che non deve essere"[4] è corretta, ma non nel senso

[1] *Genesi*, 2, 7.
[2] Ivi, 3, 7.
[3] J.-P. Sartre, *L'être et le néant* (1943); tr. it. *L'essere e il nulla*, il Saggiatore, Milano 1966, pp. 362-363.
[4] G.W.F. Hegel, *Vorlesungen über die Aesthetik* (1836-1838); tr. it. *Estetica*, Feltrinelli, Milano 1963, p. 978.

in cui Hegel la dirige. Il pudore, infatti, non difende il corpo dalla sua *nudità*, che ricorda all'uomo la sua parentela animale, ma dall'*oggettività* cui è ridotto quando uno sguardo, investendolo, lo priva della sua soggettività. Il pudore, allora, è la rivolta del corpo contro la perdita della propria soggettività, e le vesti sono la difesa concreta contro questa minaccia.

Il desiderio sessuale, infatti, non conosce incontri, non induce a ridurre la propria soggettività per creare lo spazio indispensabile all'apparizione della soggettività altrui. Il desiderio conosce solo la saturazione per *possesso*. Nel suo sguardo non ci sono le tracce di un'attesa, ma la smaniosa concupiscenza di incontrare nell'altro solo se stesso, per cui, se spoglia un corpo, è per possederne la carne, è per sottrargli, con le vesti, ogni traccia di soggettività che lo sguardo di desiderio, a differenza dello sguardo d'amore, non sa fronteggiare.

Chiuso nella sua solitudine, lo sguardo di desiderio si satura di quelle immagini ossessive e pesanti che solo i corpi, spogliati delle loro vesti e della grazia dei loro gesti, offrono come inerzia della carne. Di qui la rivolta del pudore, o come scrive Hegel: "l'inizio di quell'ira contro qualcosa che non deve essere". Ciò che il pudore difende non è lo spirito dalla volgarità del corpo, ma *la vita del corpo dall'inerzia della carne*, la soggettività di un corpo vivente dalla penosa oggettivazione di una carne posseduta.

L'episodio di Jole, narrato da Erodoto e ripreso da Hegel nelle pagine dell'*Estetica* dedicate all'abbigliamento,[5] è molto significativo in proposito. Candaule, re dei Lidi, offre la sua sposa nuda alla vista di Gige, suo alabardiere, per mostrargli che è la più bella donna del mondo. Ma Jole, la sposa, vedendo Gige nascosto nella camera da letto sgusciare dalla porta, ne prova *vergogna*. L'indomani, *irata*, lo convoca e per riparare l'onta dovuta al fatto che l'alabardiere *ha visto* quello che *non avrebbe dovuto vedere*, gli offre un'alternativa: o uccide il re e si impossessa di lei e del regno, oppure muore. Gige sceglie la prima

[5] Erodoto, *Le storie*, Libro I, 7-13, Sansoni, Firenze 1967, pp. 5-6. G.W.F. Hegel, *Estetica*, cit., pp. 978-979.

soluzione e, dopo aver ucciso il re, sale al trono e al talamo della regina.

La *vergogna* di Jole e "l'*ira* contro qualcosa che non doveva essere" chiedono per riparazione la *morte* di chi ha provocato l'indebito sguardo e le *nozze* di chi, con lo sguardo, ha derubato un corpo della sua soggettività. Gige può riparare alla superiorità acquisita con quello sguardo segreto solo accedendo a un tempo al talamo e al regno. In questo modo annulla nel possesso del regno l'inferiorità di rango e nel talamo la superiorità di chi vede non visto.

Se, come vuole Hegel, amore è "toglimento di ogni differenza",[6] Jole ritiene di poter recuperare la soggettività che le è stata estorta, ap-propriandosi, nel segno della morte, dell'amore dello sguardo che l'ha es-propriata, e, riportando quello sguardo furtivo nell'intimità del talamo regale, può consentire al proprio corpo, nell'annullamento di ogni differenza, di rivestirsi della reciprocità degli sguardi. Nella reciprocità, infatti, non c'è più il pericolo dell'oggettivazione del corpo, del suo decadimento a cosa, della sua alienazione laggiù, in quello sguardo nascosto che segretamente lo deruba, esponendolo senza difesa.

Ma il pudore, ce lo ricorda Max Scheler: "non è un sentimento esclusivamente *sessuale*",[7] il pudore ha anche una valenza *sociale* che si pone a difesa dell'individuo contro la *pubblicizzazione del privato* che, nelle società come le nostre, è il mezzo più efficace per sottrarre agli individui il loro tratto "discreto", "singolare", "intimo", dove è custodita quella riserva di sensazioni, sentimenti, significati "propri" che resistono all'*omologazione* che, nelle nostre società di massa, è ciò a cui il potere tende per una più comoda gestione degli individui.

Allo scopo vengono solitamente impiegati i media che con sempre più insistenza irrompono in modo *indiscreto* nella parte più *discreta* dell'individuo per ottenere non

---

[6] G.W.F. Hegel, *Die Liebe* (1800); tr. it. *L'amore*, Appendice n. 10 agli *Scritti teologici giovanili*, Guida, Napoli 1972, p. 531.

[7] M. Scheler, *Über Scham und Schamgefühl* (1933, edizione postuma); tr. it. *Pudore e sentimento del pudore*, Guida, Napoli 1979, p. 34.

solo attraverso test, questionari, campionature, statistiche, sondaggi d'opinione, indagini di mercato, ma anche e soprattutto con intime confessioni, emozioni in diretta, storie d'amore, trivellazioni di vite private, che sia lo stesso individuo a consegnare la sua intimità, la sua parte discreta, rendendo pubblici i suoi sentimenti, le sue emozioni, le sue sensazioni, secondo quei tracciati di "spudoratezza" che vengono acclamati come espressioni di "sincerità".

Avviene così quell'*omologazione dell'intimo* a cui tendono tutte le società conformiste con somma gioia di chi le deve gestire perché, una volta pubblicizzata, l'intimità viene dissolta come intimità, e con essa la nostra soggettività segreta e la nostra libertà nella relazione con l'altro. Quando infatti cadono le pareti che difendono il "dentro" dal "fuori", l'interiorità dall'esteriorità, l'anima di ciascuno di noi viene in un certo modo *depsicologizzata*, e ciascuno di noi oggi collabora attivamente a questa depsicologizzazione con l'ostensione "spudorata" di sé.

Ma la spudoratezza, ormai, nel nostro tempo è diventata una virtù. Non aver nulla da nascondere, nulla di cui vergognarsi, ed esser pronti, mani alla chiusura lampo, per interviste, pubbliche confessioni, rivelazioni dell'intimità, passa nel nostro tempo come espressione di *sincerità* e il pudore come sintomo di insincerità, quando addirittura, soprattutto con l'aiuto degli psicologi, non diventa anche sintomo di introversione, di chiusura in se stessi, quindi di inibizione e repressione. Ma inibizione e repressione, recitano i manuali di psicologia, sono a loro volta sintomi di un adattamento sociale frustrato, quindi il pudore finisce con l'apparire come espressione di una socializzazione fallita.

E così la nostra *vita*, quella intima, quella segreta, quella difesa dal pudore, minaccia di diventare proprietà comune, come lo è già diventato il *corpo*, se è vero che quel che un tempo era prerogativa di alcune dive – farsi misurare seni e sederi e pubblicare le relative cifre sotto la fotografia – oggi è il gioco di qualsiasi ragazzina che non voglia passare per inibita. La stessa cosa può esser detta per il *sesso*, a cui senza sosta si dedicano articoli e servizi per conoscere i piaceri e le difficoltà della camera da letto. Si tratta di articoli e servizi redatti sotto forma di consigli, in modo confidenziale, come se fossero rivolti solo a te, e non a un milione di occhi e orecchie avidi di sapere quel che da sé non sanno più scoprire.

Ma quando le istanze del conformismo e dell'omologazione lavorano per portare alla luce ogni segreto, per rendere visibile ciascuno a ciascuno, per togliere di mezzo ogni interiorità come un impedimento, ogni riservatezza come un tradimento, per non permettere ad alcuno di vivere e lavorare in case e uffici che non siano di vetro, per apprezzare ogni volontaria esibizione di sé come fatto di sincerità se non addirittura di salute psichica, allora, come vuole l'espressione di Heidegger: "il terribile è già accaduto"[8] perché il terribile è l'omologazione totale della società fin nell'intimità dei singoli individui.

Di qui la necessità di rivendicare i diritti del pudore: non solo per sottrarre la *sessualità* a quella genericità in cui si celebra il piacere nel misconoscimento dell'individuo, ma anche e soprattutto per sottrarre l'*individuo* a quei processi di omologazione in cui ciascuno di noi rischia di perdere il proprio nome.

[8] M. Heidegger, *Das Ding* (1950); tr. it. *La cosa*, in *Saggi e discorsi*, Mursia, Milano 1976, p. 110.

11.

Amore e gelosia

Il lampo della gelosia e la prigione del sospetto

> Difendetevi dalla gelosia, mio Signore! È un mostro dagli occhi verdi, che odia il cibo di cui si pasce.
>
> W. SHAKESPEARE, *Otello*, atto III.

> Nella gelosia c'è più egoismo che amore.
>
> F. DE LA ROCHEFOUCAULD, *Massime* (1665), p. 121.

Forse in origine la gelosia non era un evento connesso all'amore, ma un requisito che garantiva le condizioni di sopravvivenza. Attraverso la gelosia, infatti, il maschio, che ha sempre considerato il corpo della donna come sua proprietà, si tutelava dal rischio di allevare figli non suoi, mentre la donna, grazie alla gelosia del maschio, garantiva per sé e per la sua prole cibo e sicurezza.

Ancora oggi là dove le società sono povere e il mantenimento del nucleo familiare è essenziale in un'economia di sussistenza, la gelosia è un sentimento che svolge una difesa oggettiva del gruppo, non turbato da conflitti interpersonali. Là dove la società si fa opulenta e le condizioni di sussistenza dipendono sempre meno dalla solidità dei vincoli familiari, la gelosia è vista come un sentimento arretrato che ostacola la libertà e la sincerità dei singoli.

Ma anche all'interno della società opulenta, ideologie diverse gettano luci contrastanti su questo elementare sentimento. Così, per esempio, esiste la ben nota ideologia familiare del matrimonio aperto, secondo cui una molteplicità di relazioni sessuali garantisce salute e felicità. Da questo punto di vista l'onestà di dichiararlo diventa sinonimo di trasparenza, mentre la disonestà consiste nel tenere le cose nascoste. Date queste premesse, la fedeltà cessa di essere una virtù per apparire solo come un sintomo di possessività.

Di contro, l'ideologia della crescita, dell'efficienza e della realizzazione personale vede nella fedeltà la condizione che garantisce quella tranquillità della vita familiare che consente ai membri del nucleo di esprimersi meglio nell'autoaffermazione sociale. Un sacrificio del desiderio in cambio di successo e approvazione.

Ogni virtù e ogni vizio hanno quindi il loro apparato ideologico che consente a ciascuno di visualizzare la propria vita, qualunque essa sia, nella versione più ottimista. A nessuno si nega l'emozione di sentirsi in una terra inesplorata, anche se poi tutti, in fondo, sanno di essere di fatto in uno spazio ben recintato.

Questo spazio è la società in cui viviamo, dove l'assoluta mancanza di gelosia non è del tutto apprezzabile, perché non garantisce quella relazione esclusiva da cui l'ordine sociale trae vantaggio. E così come nel condannare il ladro la società ribadisce il valore della proprietà e nel reagire con imbarazzo alla maleducazione ribadisce l'importanza delle buone maniere, allo stesso modo, approvando la gelosia nei confronti di un intruso, ribadisce il valore dell'amore esclusivo e nell'amore esclusivo vede l'emblema dell'amore vero.

Ma come tutti sanno, gli argomenti razionali vengono sempre dopo quelli emozionali e si lasciano piegare a tutte le giustificazioni, per cui, ribaltando il ragionamento, con la stessa logica si può dire che, come il furto non è necessario ai fini dell'esistenza della proprietà, così la gelosia non è necessaria all'affermazione dell'amore vero.

Ma dove nasce la gelosia? A sentir Freud il dramma della gelosia ha la sua prima radice nel complesso di Edipo, quando, fra i quattro e i sei anni, il bambino si identifica con il genitore dello stesso sesso, ma nello stesso tempo prova gelosia per il genitore dell'altro sesso che vorrebbe avere per sé. Questo nodo cruciale dell'evoluzione infantile ha le sue ripercussioni più o meno marcate in età adulta, dove l'amore esclusivo per il genitore del sesso opposto viene rivissuto ogni volta che si teme di perdere l'amore per la persona da cui si dipende emotivamente. Tutto ciò va letto non nel senso che i vissuti infantili sono la "causa" di vissuti emotivi adulti, ma nel senso che i vissuti infantili costituiscono il "modo" con cui da adulti facciamo esperienza nella nostra vita emotiva.

A partire dal complesso edipico, Freud spiega anche perché, in stato di gelosia, alcuni esprimono la propria ostilità contro il partner e altri contro il rivale. I primi sono ancora coinvolti nel complesso edipico, e perciò, temendo il padre, si scagliano contro la madre, rappresentata dalla donna di cui sono gelosi. Gli altri, più maturi perché hanno liquidato il timore del padre, rivolgono la loro aggressività verso il maschio rivale.[1]

In ogni caso è all'infanzia che bisogna risalire, non solo perché, per crescere, abbiamo dovuto rinunciare alla nostra richiesta di possesso esclusivo della madre o del padre, ma anche perché chiunque di noi, nell'infanzia, è passato attraverso l'esperienza della disperazione per la solitudine e per la paura di essere abbandonato. E, come scrive Aldo Carotenuto: "La paura che nessuno ci possa proteggere o il sospetto di essere abbandonati e rifiutati sono gli incubi dell'infanzia, ma anche i fantasmi della maturità".[2]

Nella gelosia risuona l'eco di vissuti abbandonitici sperimentati nell'infanzia e, rivivendoli in modo infantile, perché il bambino di un tempo è ancora vivo in noi, vogliamo "uccidere" chi ci ha privato dell'esclusività del nostro amore, o a questa esclusività si è sottratto. Al sentimento di esclusività è connesso il desiderio di essere unici, oggetto di una scelta esclusiva che l'eventualità di un tradimento smentisce. Ciò indebolisce la stima in se stessi e la fiducia di essere degni d'amore. Questi vissuti riattivano le sensazioni abbandonitiche sperimentate nell'infanzia e, in questa regressione, il circolo si chiude, alimentando, senza via d'uscita, la disistima di sé.

Per converso il tradimento ravviva, in chi tradisce, la

---

[1] S. Freud, *Über einige neurotische Mechanismen bei Eifersucht, Paranoia und Homosexualität* (1922); tr. it. *Alcuni meccanismi nevrotici nella gelosia, paranoia e omosessualità*, in *Opere*, Boringhieri, Torino 1967-1993, vol. IX.
[2] A. Carotenuto, *Gelosia*, in "Corriere della Sera", 16 febbraio 2003.

fiducia in se stesso, riattiva il narcisismo infantile di chi si sente, come accadeva o non accadeva un tempo, il preferito e lo scelto. Spesso nei tradimenti è proprio questa gratificazione narcisistica che si va cercando, questo amore di sé che non ha nulla a che vedere con l'amore per l'altro. E ciò è vero soprattutto per le donne le quali, come ritiene il sessuologo Willy Pasini, nel corso dell'evoluzione hanno coperto con la gratificazione narcisistica e con il desiderio di provare nuove emozioni il fatto che l'infedeltà ottimizza il potenziale della loro fertilità.[3]

Da questa eventualità, anche senza saperlo, il maschio primitivo si difendeva con quelle forme di possessività ancora attuali in alcune culture, come l'accertamento della verginità della donna o le pratiche crudeli di mutilazione dei suoi genitali. Questa "gelosia preventiva", che stimola la possessività, ancora lavora nell'inconscio delle società cosiddette "evolute" dove, nonostante i contraccettivi, la gelosia continua a tormentarci come faceva con i nostri antenati.

È un tormento, quello della gelosia, che altera la percezione, l'attenzione, la memoria, il pensiero e il comportamento. Come riferisce la psicologa Valentina D'Urso,[4] la *percezione* si accentra e si fa minuziosa nei riguardi di tutto ciò che direttamente o indirettamente riguarda la persona amata e i rivali, sia che essi siano reali, potenziali o immaginari. Inoltre aumentano in modo abnorme e selettivo i processi di *attenzione*, mentre la *memoria* diventa fortemente selettiva e concentrata su piccoli eventi normalmente trascurati, come l'orario di una telefonata, le incongruenze nei discorsi, un'insolita cura nell'abbigliamento. Il *pensiero* subisce un vero e proprio stravolgimento nel suo vorticare intorno all'idea del tradimento, fino a sfiorare le soglie del delirio paranoico, dove anche gli eventi più innocenti e insignificanti vengono assunti come prove irrefutabili che la propria gelosia è assolutamente giustificata.

[3] W. Pasini, *Gelosia. L'altra faccia dell'amore*, Mondadori, Milano 2003, pp. 32-33.

[4] V. D'Urso, *Otello e la mela. Psicologia della gelosia e dell'invidia*, La Nuova Italia Scientifica, Roma 1995, pp. 34-37.

Quando il pensiero si fa rimuginante e tutto viene interpretato in quella chiave, l'assedio che il geloso si è costruito da sé toglie l'aria, e allora, accanto alle minacce e agli interrogatori, si fanno largo le suppliche, le dichiarazioni d'amore eterno, bruscamente interrotte, nel breve volgere di un attimo, da insulti, manifestazioni di disprezzo, esplosioni d'ira, che segnalano quell'ambivalenza della condizione emotiva che rende il pensiero confuso e il comportamento contraddittorio.

Tutto ciò mette a repentaglio l'immagine di sé come persona coerente, ed è questa la soglia superata la quale chi è nel vortice della gelosia, oltre la persona amata, perde anche se stesso, naufragando nei sentimenti di rabbia, dolore, esclusione, indignazione, offesa che accompagnano inesorabilmente la diminuzione della stima di sé.[5]

Questi sentimenti sono il rovescio della passione, dell'intimità e della dedizione che caratterizzano l'amore, perché chi è geloso è solito confondere l'amore con il bisogno di possesso che satura una carenza e che non riesce a esprimersi se non come amore dipendente, regressivo, infantile. Qui è evidente la strumentalizzazione dell'amore che fraintende se stesso, perché non conosce più il dono, ma solo la saturazione del proprio vuoto.

Quando la gelosia attorciglia l'anima, i maschi tendono a esternare la loro ossessione mettendo sul tavolo il problema, affrontando il loro rivale o aggredendo la loro compagna che, a differenza del rivale, è donna e per giunta a portata di mano. Le reazioni femminili tendono invece più all'interiorizzazione del dolore con vissuti di depressione, insicurezza e non di rado autoaccusa. E ciò è dovuto non tanto a un vissuto emozionale, quanto piuttosto a uno squilibrio di potere. Come fa notare Peter van Sommers,[6] le donne, infatti, insieme ai figli, si trovano in generale in una situazione di più accentuata di-

[5] Si veda in proposito E.W. Mathes, H.E. Adams, R.M. Davies, *Jealousy: Loss of Relationship Rewards, Loss of Self-esteem, Depression, Anxiety and Anger*, in "Journal of Personality and Social Psychology", n. 48, 1985, pp. 1552-1561.

[6] P. van Sommers, *Jealousy* (1988); tr. it. *La gelosia*, Laterza, Bari 1991, p. 60.

pendenza, con la conseguenza che la loro relativa mancanza di risorse economiche e occupazionali ha un effetto maggiormente inibitorio.

Se è vero che la gelosia proviene dalla parte più arcaica del nostro cervello,[7] se non addirittura dalla nostra parentela animale, come farebbero pensare i combattimenti fra i galli, le zuffe fra i gatti, i duelli dei cervi sulla montagna,[8] allora dalla gelosia non ci si difende ritenendosi immuni e quindi negandola, ma, come scrive Willy Pasini, "civilizzandola",[9] separando progressivamente l'*amore* dalla *possessività*, in modo da liberarci da quella voracità che fa dire agli amanti: "Mi piaci tanto che ti mangerei".

Questo "cannibalismo sentimentale", che vuol divorare l'essere amato affinché nessuno possa più sottrarcelo, quando fuoriesce dall'ambito metaforico diventa violenza omicida. E così, di quello che una volta era un grande amore, rimane soltanto un titolo di cronaca con foto della vittima sorridente e ignara. Si è voluto suggellare con il nulla la fine di un amore.

Se questo è l'esito finale della gelosia portata al suo limite estremo, comprendiamo da un lato la tendenza diffusa a condannare le persone gelose, dall'altro il motivo per cui le stesse persone gelose tendono a nascondere la propria gelosia. I gelosi, infatti, sono trattati con disprezzo, ma gli strilli di alcuni sembrano più commoventi di altri. Non commuove, per esempio, lo strillo dell'anziano geloso della sua giovane moglie, o lo strillo della giovane amante per il tradimento compiuto dalla persona più anziana che compensa la differenza di età con status e potere.

Questo spiega perché chi è tradito, nonostante la sua innocenza e il suo dolore, è oggetto di scherno e derisione. Nel formare una coppia ha forzato o sfidato le regole correnti, e quando le relazioni sono asimmetriche in rapporto a determinate regole di valore sessuale o sociale, la gelosia non è presa seriamente in considerazione,

[7] W. Pasini, *Gelosia. L'altra faccia dell'amore*, cit., pp. 207-208.
[8] P. van Sommers, *La gelosia*, cit., p. 93.
[9] W. Pasini, *Gelosia. L'altra faccia dell'amore*, cit., p. 208.

e chi la esprime finisce con il risultare patetico e, agli occhi degli altri, giustamente punito. Ha osato sfidare convenzioni, ha presunto di sé, e ora trova il compenso della sua improvvida azione.

Resta poi da considerare la tendenza a leggere la propria gelosia come un fenomeno prepotente e irresistibile che attesta la nostra profonda fedeltà, e la gelosia degli altri come qualcosa di immaturo da correggere. Questa visione bifocale spiega perché chi è stato infedele in precedenza, quando è tradito non trova gran conforto nel pensiero dei propri tradimenti. Il sentimento della gelosia non pesa allo stesso modo sui due piatti della bilancia, perché tra gelosia e giustizia non sembra corrano rapporti equipollenti.

Eppure in Occidente si potrebbe giungere a sdrammatizzare il sentimento della gelosia perché il complesso apparato materiale e i grossi investimenti di impegno e di energie richiesti da una famiglia occidentale costituiscono una realtà sociale che non si dissolve facilmente al calore di un nuovo innamoramento, per cui vediamo che, dopo un terremoto sentimentale, c'è chi cerca di recuperare anche i calcinacci della casa distrutta, e chi invece si rapporta alla famiglia che abbandona come ci si rapporta a un'azienda per riottenere almeno quanto vi aveva investito.

Se l'amore ha un costo anche la gelosia ha un risarcimento. Qui i due piatti della bilancia trovano il loro equilibrio. Perché se l'amore è una poderosa forza emozionale, la gelosia è il contrappunto sociale di questa forza che, anche se inosservata, è rintracciabile nel sottosuolo dei nostri ordinamenti, non meno che nelle pieghe più segrete delle nostre anime contorte.

12.

Amore e tradimento

Il lato oscuro dell'amore e la conoscenza di sé

> Tradire. Parola grossa. Che significa tradimento? Di un uomo si dice che ha tradito il paese, gli amici, l'innamorata. In realtà l'unica cosa che l'uomo può tradire è la sua coscienza.
>
> J. CONRAD, *Con gli occhi dell'Occidente* (1911), p. 23.

Non si dà amore senza possibilità di tradimento, così come non si dà tradimento se non all'interno di un rapporto d'amore. A tradire infatti non sono i nemici e tanto meno gli estranei, ma i padri, le madri, i figli, i fratelli, gli amanti, le mogli, i mariti, gli amici. Solo loro possono tradire, perché su di loro un giorno abbiamo investito il nostro amore. Il tradimento appartiene all'amore come il giorno alla notte.

Non è infatti vero giorno quello che non conosce la notte, e perciò concede una vita e un amore solo là dove ci possiamo fidare, dove siamo al sicuro, compresi, contenuti e contenti, dove non possiamo essere feriti e delusi, dove la parola data non è mai ritirata.

Non importa quale sia l'oggetto d'amore: un uomo, una donna, l'amico, la famiglia, la Chiesa, la legge, i rapporti con i nostri simili e persino il rapporto con Dio. Adamo cacciato dal paradiso terrestre, Giobbe tradito da Dio, Mosè a cui fu negato l'ingresso nella Terra promessa, Gesù tradito da Giuda e abbandonato dal Padre sulla croce rinviano a uno scenario simbolico dove neppure Dio vuole che l'uomo cresca in una fiducia incondizionata, perché in questo tipo di fiducia non si dà coscienza che è "con-scienza" del bene e del male. Ma allora il male bisogna incontrarlo, e bisogna incontrarlo proprio là, nella fiducia originaria, dove neppure lontanamente ne sospetteremmo la presenza.

Nella fiducia originaria, infatti, non c'è traccia del male, anzi neppure il sospetto, perché dove la realtà non appare nel suo *doppio*, non sorgono l'interrogazione e il *dubbio*. "Doppio" e "dubbio" hanno la stessa radice, come in tedesco *Zweifel* (dubbio) e *zwei* (due). Il dubbio, che generandosi spezza la fiducia originaria non interrogata, nasce dal doppio di ogni realtà, dalla scoperta del suo lato umbratile accanto a quello solare. Questa scoperta, come origine del dubbio e dell'interrogazione, segna la nascita della coscienza, il suo dibattersi fra l'uno e l'altro. Scrive in proposito Jung: "Il dubbio esprime la scissione (*Zerspaltung*) dell'unità originaria, quindi l'*Uno* deve essere integrato da un *Altro*".[1]

Ma qui non si fraintenda: non è la coscienza che ha dubbi, ma è il dubbio, come scoperta del duplice aspetto del reale, che dischiude la coscienza. Cartesio può superare il dubbio solo perché lo considera a partire dal *cogito*,[2] quindi perché non lo ha mai veramente abitato. Il "diavoletto maligno" che lo insinua è solo la caricatura di quell'originario divaricarsi (*dia-bállein*) della coscienza, lacerata fra il bene e il male, il vero e il falso, e quindi finalmente fuoriuscita da quella fiducia originaria dove tutto era buono, bello e giusto.

Il tradimento, come lacerazione di quella fiducia, segna l'atto di nascita della coscienza, con cui ci si congeda dalla beatitudine infantile, che è tale perché non conosce il male, l'aspetto sinistro che sempre si nasconde dietro il volto rassicurante degli uomini, delle situazioni, delle cose.

Nel saggio *Il tradimento*, che è possibile leggere in *Puer æternus*,[3] James Hillman prende in esame le possibili rea-

---

[1] C.G. Jung, *Versuch zu einer psychologischen Deutung des Trinitätsdogmas* (1942-1948); tr. it. *Saggio d'interpretazione psicologica del dogma della Trinità*, in *Opere*, Boringhieri, Torino 1969-1993, vol. XI, § 201, pp. 137-138.

[2] R. Descartes, *Discours de la méthode* (1637); tr. it. *Discorso sul metodo*, in *Opere filosofiche*, Laterza, Bari 1986, vol. I.

[3] J. Hillman, *Senex and Puer. An Aspect of the Historical and Psychological Present* (1964-1967); tr. it. *Puer æternus*, Adelphi, Milano 1999.

zioni al tradimento, indicando tra queste quelle che bloccano la coscienza e quelle che la emancipano.

Innanzitutto la *vendetta*, che è una risposta emotiva che salda il conto ma non emancipa la coscienza, perché quando è immediata non ha altro significato se non quello di scaricare una tensione, mentre quando è procrastinata, quando attende l'occasione buona, restringe la coscienza in fantasie di astiosità e crudeltà, impedendole di fare qualsiasi altra esperienza. La vendetta rattrappisce l'anima.

Non diversamente opera il meccanismo della *negazione*. Quando in un rapporto uno dei due subisce una delusione, la tentazione è quella di negare il valore dell'altro prima idealizzato. Non si è voluto vedere l'ombra dell'altro quando si era innamorati, ora, dopo il tradimento, si ricaccia l'altro per intero nella sua ombra. Due eccessi, dove prima l'amore cieco e poi il cieco odio dicono quanto infantile e primitiva è la nostra anima.

Più pericoloso è il *cinismo*, che non solo nega il valore dell'altro, ma fa dire che l'amore è sempre una delusione, che i grandi amori sono per gli ingenui, cercando, in questo modo, di cicatrizzare la fiducia infranta. Con i cocci dell'idealismo si costruisce la filosofia del rude cinismo, capace solo di offrire un ghigno a quella che un tempo era la propria stella.

Ma forse ancora più preoccupante del cinismo è il *tradimento di sé*, per cui una confessione, una poesia, una lettera d'amore, un progetto fantastico, un segreto, un sogno, insomma i nostri valori emotivi più profondi diventano cose ridicole, da sbeffeggiare sguaiatamente, per evitare di vergognarsi di averle un giorno provate. È una strana esperienza quella di trovarsi a tradire se stessi e a trattare le proprie esperienze emotive vissute nel tempo dell'amore come esperienze negative e spregevoli.

Ma con la vendetta, la negazione, il cinismo, il tradimento di sé non siamo ancora all'ultimo stadio in cui, per proteggerci dall'eventualità di essere nuovamente traditi, optiamo per la *scelta paranoide* che, per instaurare un rapporto esente dalla possibilità del tradimento, mette in atto ingenue liturgie, quali le dichiarazioni di fedeltà eterna, le prove di devozione, i giuramenti di mantenere il segreto. Sono atteggiamenti, questi, che attengono più alla sfera del potere che alla sfera dell'amore. Quando infatti un marito, un amante, un discepolo o un amico si sforzano di soddisfare i requisiti di un rapporto paranoide, dando assicurazioni di fedeltà per cancellare la possibilità del tradimento, è garantito che ci si sta allontanando dall'amore, perché amore e tradimento attingono alla stessa fonte.

Se evitiamo di cadere nei pericoli fin qui descritti e quindi di rimanere in essi sterilmente fissati, allora l'esperienza del tradimento può rivelare il suo aspetto più creativo ed evolutivo della coscienza che, per Hillman, come del resto per la tradizione cristiana, trova la sua espressione nel *perdono*. Riconoscendo il tradimento e passando oltre, il perdono toglie all'amore il suo aspetto più infantile, che è l'ingenuità e l'incapacità di amare se appena si annuncia un profilo d'ombra. Del resto, scrive Hillman:

> Senza l'esperienza del tradimento, né fiducia né perdono acquisterebbero piena realtà. Il tradimento è il lato oscuro dell'una e dell'altro, ciò che conferisce loro significato, ciò che li rende possibili.[4]

Ma si può davvero perdonare, se è vero che l'Io si mantiene vitale solo grazie al suo amor proprio, al suo orgoglio, al suo senso dell'onore? Anche quando vorremmo sinceramente perdonare, scopriamo che proprio non riusciamo, perché il perdono non viene dall'Io. E allora forse, meglio del perdono, che probabilmente è pratica insincera, a me sembra più costruttivo percorrere il sentiero del *reciproco riconoscimento*, dove chi ha tradito deve reggere la tensione senza cercare di rappezzare la situazione e, con brutalità cosciente, deve al limite rifiutare di rendere conto di sé.

Il rifiuto di spiegare significa da un lato non misconoscere il tradimento ma lasciarlo intatto nella sua cruda realtà, e dall'altro che la spiegazione deve venire sem-

[4] Ivi, p. 44.

pre dalla parte offesa. Del resto chi, dopo essere stato tradito, sarebbe in grado di ascoltare le spiegazioni dell'altro?

Lo stimolo creativo presente nel tradimento dà i suoi frutti solo se è l'individuo tradito a fare un passo avanti, dandosi da sé una spiegazione dell'accaduto. Ma per questo è necessario che il traditore non giustifichi il suo tradimento, non tenti di attenuarlo con spiegazioni razionali, perché questa elusione di ciò che è realmente accaduto è, di tutte le offese, la più bruciante per il tradito, e allora il tradimento continua, anzi si accentua.

Siccome i due sono ancora legati in un rapporto nei nuovi ruoli di traditore e di tradito, possono soccorrersi solo se il traditore non attenua la crudeltà del tradimento e, riconoscendolo senza ammorbidirlo con false giustificazioni, consente all'altro di trovare da sé la spiegazione, e così di passare dalla beata innocenza della fiducia originaria, dove mai neanche lontanamente si profilava il male, a quella coscienza adulta, la quale sa che il bene e il male sono inanellati, il piacere si intreccia con il dolore, la maledizione con la benedizione, la luce del giorno con il buio della notte, perché tutte le cose sono incatenate, intrecciate, innamorate e insieme tradite, senza una visibile distinzione, perché l'abisso dell'anima, che tutte le sottende, vuole che così si ami il mondo.

Del resto, se vogliamo seguire il messaggio di Nietzsche che ci ha insegnato a scoprire, sotto ogni virtù, il vizio che la origina, la paura inconfessata che la genera, la debolezza che si vuole nascondere,[5] scopriamo che, ogni volta che siamo in relazione con l'altro, mettiamo in atto anche il nostro desiderio di non annullarci nell'altro. Vogliamo essere con l'altro, ma nello stesso tempo, per salvare la nostra individualità, vogliamo non esserci completamente. Di qui quell'esserci e non-esserci, quel rincorrersi e tradire, che fa parte della relazione amorosa. Perché l'amore è una *relazione*, non una *fusione*. Se infatti non esistessimo come individualità autonome, non

[5] F. Nietzsche, *Zur Genealogie der Moral. Eine Streitschrift* (1887); tr. it. *Genealogia della morale. Uno scritto polemico*, in *Opere*, Adelphi, Milano 1968, vol. VI, 2.

solo non potremmo incontrare l'altro e metterci in relazione, ma non avremmo neppure nulla da raccontare all'altro fuso simbioticamente con noi.

Come dice Gabriella Turnaturi nel suo libro *Tradimenti*,[6] quando lei o lui iniziano un viaggio fuori dal "noi", e che prescinde dal "noi", solo per le attese sociali, solo per i precetti religiosi tradiscono, mentre in realtà salvano la loro individualità dall'abbraccio mortale del "noi" che non emancipa, non consente né crescite né arricchimenti, e neppure parole da scambiare che non siano già dette o già sapute prima che siano pronunciate.

Tutto questo per dire che l'amore non è *possesso*, perché il possesso non tende al bene dell'altro, né alla lealtà verso l'altro, ma solo al mantenimento della relazione che, lungi dal garantire la felicità, che è sempre nella ricerca e nella conoscenza di sé, la sacrifica in cambio della sicurezza. Siamo in due, non sappiamo più chi siamo, ma siamo insieme ad affrontare il mondo. Due esistenze negate, ma tutelate.

Amore è cosa intricata, perché sempre ci si confonde e non ci si chiarisce se si ama l'altro o si ama la relazione, se si soddisfa il nostro bisogno di sicurezza o il nostro bisogno di felicità. Oppure si vuole la felicità, ma non i suoi costi; e in alternativa si vuole la sicurezza, ma non la sua noia. Amore è un gioco di forze dove si decide a quale dio offrire la propria vita: al dio della felicità che sempre accompagna la realizzazione di sé, o al dio della sicurezza che molto spesso si affianca alla negazione di sé.

Una cosa è certa: che nella relazione, nel "noi" non ci si può seppellire come in una tomba. Ogni tanto bisogna uscire, se non altro per sapere chi siamo senza di lei o di lui. Solo gli altri, infatti, ci raccontano le parti sconosciute di noi. Gli altri, se li lasciamo parlare, senza soffocarli con il nostro bisogno di conferme che di solito, sbagliando, siamo soliti chiamare bisogno d'amore.

Nel viaggio che si intraprende fuori dal "noi" e che prescinde dal "noi", è il "noi" che si tradisce, raramente

---

[6] G. Turnaturi, *Tradimenti. L'imprevedibilità delle relazioni umane*, Feltrinelli, Milano 2000.

il "tu". Quel che si imputa al traditore è di essere diventato diverso e di muoversi non più in sintonia, ma da solo. Soltanto se si accetta il cambiamento dell'altro e lo si accoglie come una sfida a ridefinirsi e a ridefinire la relazione, il tradimento non è più percepito come tale. Ma ridefinirsi è difficile, così come accettare il cambiamento. Per questo le vie più battute sono quelle della fedeltà, o in alternativa quelle del risentimento e della vendetta.

Se queste considerazioni hanno una loro plausibilità occorre riscattare, almeno in parte, i traditori dall'infamia di cui solitamente sono ricoperti, perché in ogni tradimento c'è un lampeggiare di verità e autenticità che chi è tradito non vuol mai vedere. Tradire un amore, tradire un amico, tradire un'idea, tradire un partito, tradire persino la patria significa svincolarsi da un'appartenenza e creare uno spazio di identità non protetta da alcun rapporto fiduciario, e quindi in un certo senso più autentica e vera.

Nasciamo infatti nella fiducia che qualcuno ci nutra e ci ami, ma possiamo crescere e diventare noi stessi solo se usciamo da questa fiducia, se non ne restiamo prigionieri, se a coloro che per primi ci hanno amato e a tutti quelli che dopo di loro sono venuti, un giorno sappiamo dire: "Non sono come tu mi vuoi".

C'è infatti in ogni amore, da quello dei genitori a quello dei mariti, delle mogli, degli amici, degli amanti, una forma di possesso che arresta la nostra crescita e costringe la nostra identità a costituirsi solo all'interno di quel recinto che è l'amore che non dobbiamo tradire. Ma in ogni amore che non conosce il tradimento e neppure ne ipotizza la possibilità c'è troppa infanzia, troppa ingenuità, troppa paura di vivere con le sole nostre forze, troppa incapacità di amare se appena si annuncia un profilo d'ombra.

Eppure senza profilo d'ombra, quella che puerilmente chiamiamo "amore", c'è l'incapacità di abbandonare lidi protetti, di uscire a briglia sciolta e a proprio rischio verso le regioni sconosciute della vita, che si offrono solo a quanti sanno dire per davvero addio. E in ogni addio c'è lo stigma del tradimento e insieme dell'emancipazione. C'è il lato oscuro dell'amore, che però è anche ciò che gli conferisce il suo significato e che lo rende possibile.

Amore e tradimento devono infatti l'un l'altro la densità del loro essere, che emancipa non solo il traditore ma anche il tradito, risvegliando l'un l'altro dal loro sonno e dalla loro pigrizia emancipativa, impropriamente scambiata per amore. Gioco di prestigio di parole per confondere le carte e barare al gioco della vita.

Il traditore di solito queste cose le sa, meno il tradito che, quando non si rifugia nella vendetta, nel cinismo, nella negazione o nella scelta paranoide, finisce per consegnarsi a quel tradimento di sé che è la svalutazione di se stesso per non esser più amato dall'altro, senza così accorgersi che allora, nel tempo dell'amore, la sua identità era solo un dono dell'altro. Tradendolo, l'altro lo consegna a se stesso, e niente impedisce di dire a tutti coloro che si sentono traditi che forse un giorno hanno scelto chi li avrebbe traditi per poter incontrare se stessi, come "un giorno Gesù scelse Giuda per incontrare il suo destino".[7]

Sembra infatti che la legge della vita sia scritta più nel segno del tradimento che in quello della fedeltà. Forse perché la vita preferisce chi ha incontrato se stesso e sa chi davvero è, rispetto a chi ha evitato di farlo per stare rannicchiato in una casa protetta, dove il camuffamento dei nomi fa chiamare "amore" quello che in realtà è insicurezza o addirittura rifiuto di sapere chi si è davvero, per il terrore di incontrare se stessi, un giorno almeno, prima di morire, con il rischio di non essere mai davvero nati.

[7] W. Klassen, *Giuda, traditore o amico di Gesù?*, Bompiani, Milano 1999, p. 12.

13.

Amore e odio

Il subdolo intreccio fra dipendenza e dignità

> L'odio mira a trovare una libertà senza limiti di fatto, cioè a sbarazzarsi del proprio impercettibile essere-oggetti-per-l'altro e abolire la propria dimensione di alienazione. Ciò equivale a proporsi di realizzare un mondo in cui l'altro non esiste.
>
> J.-P. SARTRE, *L'essere e il nulla* (1943), p. 500.

Ti odio perché ti amo. Ti denigro per poter continuare a vivere con te. Davvero l'odio è il compagno inevitabile dell'amore? Se gettiamo uno sguardo nelle nostre menti, dove si verifica la maggior parte dei crimini passionali, parrebbe che le cose vadano proprio così. A meno che le nostri menti non siano luoghi molto importanti. Eppure la contrapposizione che esse fanno tra l'amore e l'odio è continuamente smentita dal modo con cui questi due sentimenti si attorcigliano e si avvinghiano tra loro.

Non c'è nessuno che non abbia provato un profondo sollievo quando l'amore sopravvive al primo litigio all'ultimo sangue. Anzi di solito in simili circostanze "si fa l'amore", quasi per celebrarne la profondità e la resistenza, che in altro modo non si sarebbero potute verificare. Sembra quindi che l'odio sia il compagno inevitabile dell'amore, la cui sopravvivenza forse non dipende tanto dalla capacità di evitare l'aggressività, quanto dalla capacità di viverla e di oltrepassarla in nome dell'amore.

Ma da dove viene l'aggressività, la rabbia, l'odio? E perché raggiunge le sue espressioni più truculente proprio nelle relazioni d'amore? I più pessimisti ritengono che gli esseri umani siano violenti per natura. Così la pensava nel Seicento il filosofo Thomas Hobbes quando diceva: *"Homo homini lupus"*,[1] e in tempi più recenti l'etologo Konrad Lorenz, secondo il quale l'aggressività è una forza indomabile come la fame, utile ai bisogni di sopravvivenza, alla difesa del territorio, ad assicurare un vantaggio sessuale al più forte, a fornire una base per lo stabilirsi di una leadership.[2] Se non ci sono guerre da combattere abbiamo bisogno di sport competitivi per esprimere la nostra aggressività, se non abbiamo nemici evidenti dobbiamo crearcene di fantastici.

Altri più ottimisti ritengono che gli esseri umani siano per natura, se non proprio amorevoli, senz'altro socievoli, per cui l'aggressività non scaturisce dall'interno, ma ci contamina dall'esterno. Così pensava Jean-Jacques Rousseau, secondo il quale gli uomini sono buoni per natura e diventano cattivi in società, come risposta alle frustrazioni che ricevono le loro intenzioni per natura amicali quando non amorose.[3]

Vista con gli occhi di Hobbes l'aggressività è l'espressione inevitabile del desiderio umano di potere e di dominio. L'amore è solo un breve interludio nelle relazioni, che si rompono quando emerge la nostra natura più vera. Vista con gli occhi di Rousseau l'aggressività non è innata, ma è la risposta alla frustrazione e alla deprivazione che, in ambito sociale, trova la sua espressione nella povertà, nell'indigenza e nell'impotenza, che possono essere soccorse con la cooperazione e la distribuzione delle risorse, e in ambito personale nell'incapacità di amare, dovuta al fatto di non essere a suo tempo stati amati abbastanza come la nostra natura esigeva.

Ma forse in amore la questione non è tanto quella di stabilire se l'aggressività è *innata* o *reattiva*, se è una pul-

[1] Th. Hobbes, *Elementorum philosophiæ sectio tertia: De cive* (1642); tr. it. *Elementi filosofici sul cittadino*, in *Opere politiche*, Utet, Torino 1971, vol. I, *Prefazione*, p. 73: "La condizione umana fuori della società civile (condizione che si può chiamare 'stato naturale') altro non è che una guerra di tutti contro tutti, e che in questo stato di guerra tutti hanno diritto a tutto".

[2] K. Lorenz, *Das sogenannte Böse. Zur Naturgeschichte der Aggression* (1963); tr. it. *Il cosiddetto male. L'aggressività*, il Saggiatore, Milano 1976.

[3] J.-J. Rousseau, *Émile ou de l'éducation* (1792); tr. it. *Emilio o dell'educazione*, in *Opere*, Sansoni, Firenze 1972, Libro I, p. 350: "Tutto è bene quando esce dalle mani dell'autore delle cose, tutto degenera fra le mani dell'uomo".

sione primaria che sorge autonomamente o è una risposta alle minacce. In amore le cose sono più complicate, perché chi ama davvero non può evitare di mettere in gioco interamente se stesso. In amore la posta in gioco non sono il potere, il denaro, il successo. In amore la posta in gioco siamo *noi* che amiamo. E l'aggressività, nella quale la passione amorosa è pronta a collassare, è il riflesso dello stato di pericolo in cui versa la persona che ama.

Quando diventa oggetto del mio desiderio, infatti, la persona amata acquista un potere enorme su di me, e la mia vulnerabilità è direttamente proporzionale alla profondità del mio amore. Anche se non sembra, questa è la storia di ogni serial-killer che uccide le donne perché queste hanno un potere su di lui. Esse infatti eccitano il suo desiderio e quindi, ai suoi occhi, detengono il potere sulla sua gratificazione o sulla sua frustrazione. Vendicandosi, il serial-killer vuole capovolgere la situazione, vuole recuperare la sua dignità.

Anche se non siamo dei serial-killer, quando in amore odiamo mettiamo in moto la stessa macchina. Vogliamo riscattarci dalla dipendenza in cui il nostro desiderio d'amore ci pone nei confronti della persona amata, una dipendenza che sentiamo lesiva della nostra dignità. Ma se la dipendenza fa parte della natura più vera della passione, o si accetta la dipendenza mettendo a repentaglio la propria dignità, o si fa uno scatto di dignità trasformando temporaneamente la passione amorosa in passione aggressiva, per far sapere all'altro che non ci può mettere sotto i piedi, che non siamo al suo servizio, che non può fare di noi ciò che vuole.

E tutto ciò lo urliamo con quell'adeguata carica di odio, dove il messaggio finale è che non possiamo fare a meno di lui. A questo punto, con la dignità riscattata, possiamo riprendere per un altro tratto il cammino tracciato dalla nostra passione amorosa che, come è naturale, non è mai disgiunta dalla condizione di dipendenza dalla persona amata e desiderata.

La dipendenza non è solo un residuato dell'infanzia come vogliono gli psicoanalisti, ma è l'elemento costitutivo del desiderio amoroso. E la vulnerabilità propria della condizione di dipendenza ci fa sentire in pericolo. Non è una fantasia, è una realtà, da cui ci difendiamo con il potere di ferire e, anche senza ucciderlo, di eliminare dalla nostra vita l'altro che, attraendoci, ha turbato la nostra serenità, ci ha derubato della nostra dignità, ha minato la considerazione che noi abbiamo di noi stessi e del nostro valore personale. Solo quando si ama, infatti, si odia veramente, perché l'odio è la risposta a quella minaccia che è l'amore. Ma, come ci insegna Tolstoj in *Anna Karenina*, quando l'odio non è controllato può distruggere sia l'oggetto d'amore sia noi stessi.[4]

Per difendere l'amore occorre scendere a patti sia con la dipendenza che il desiderio comporta sia con l'odio che la condizione di dipendenza scatena. Ma i patti in amore non funzionano, perché più profonda è la passione, più grande è la vulnerabilità e più potenzialmente distruttiva è l'aggressività. Si potrebbe pensare che allora non resta che attutire la passione, cosa molto frequente nelle relazioni di lunga durata. Ma qui il rimedio è peggio del male. Chi adotta questa strategia per mantenere a un tempo amore e dignità, in realtà, garantisce la stabilità della relazione (da cui senza ammetterlo è dipendente) con un disprezzo cronico per il proprio compagno di vita. E la calma che suggerisce agli amanti furiosi è solo l'altra faccia del suo cinismo.

Una passione smorzata, se da un lato serve a proteggere la nostra dignità dalla dipendenza, dall'altro non riesce a nascondere che vogliamo a un tempo vendicarci del fatto che, per ragioni di stabilità e sicurezza, abbiamo anche svuotato l'anima di passione e, per evitare l'odio che è l'ombra dell'amore, finiamo con il perdere anche l'amore che di questa ineluttabile tensione si alimenta.

Ma chi non sa odiare, chi non regge il conflitto, come fa a comunicare il proprio bisogno d'amore e al tempo stesso difendere la propria dignità mascherando la propria dipendenza? Una strada c'è: il ricorso alla malattia. Infatti, in un contesto culturale dove non si nega nulla al malato, il linguaggio della malattia è inevitabile per chi

---

[4] L. Tolstoj, *Anna Karenina* (1875-1877), Einaudi, Torino 1974.

si sente incapace di smuovere il cuore dell'altro con un'esplicita richiesta d'amore.

E questo perché, se la richiesta esplicita può essere ignorata, non si possono ignorare disperate crisi di pianto, acuti dolori di stomaco, insopportabili mal di testa che, con la loro drammaticità, impongono una reazione nell'altro. Ed è nella reazione in sé e per sé, in quanto indicativa di interesse e di affetto, il significato di tante malattie che, prima di essere eventi organici, sono mutamenti linguistici volti a stabilire contatti altrimenti impossibili.

La comunicazione indiretta, che avviene attraverso il corpo e non attraverso le parole, svolge infatti una funzione protettiva per la dignità e il concetto che di sé possiede colui che vi ricorre. Se il bisogno dell'altro è considerato dalla cultura collettiva un fenomeno infantile di dipendenza, l'adulto, che al pari del bambino ha dei bisogni per la soddisfazione dei quali è necessario l'intervento altrui, per mantenere l'illusione dell'indipendenza, che è uno dei motivi del suo orgoglio e della sua dignità, è costretto all'impiego di quella che Kierkegaard chiama "comunicazione indiretta".[5]

In una società che accetta le malattie del corpo, ma molto meno i problemi dell'esistenza, l'unica via praticabile resta quella di esprimere in termini di malattia somatica i propri problemi personali. In questo modo l'individuo difende la sua dignità e si garantisce contro la delusione a cui potrebbe andare incontro con una comunicazione diretta.

Comunicando in termini somatici, chi ha bisogno d'amore è in grado di indurre la persona amata a essere più premurosa e attenta nei suoi riguardi. Se non ci riuscirà direttamente potrà riuscirci con il medico. Il significato di molte certificazioni mediche e di altrettante perizie psicologiche è da ricercarsi in quel linguaggio del corpo che, tradotto in linguaggio verbale, suonerebbe pressappoco così: "Faccia in modo che dal mio certificato risulti che deve smetterla di trascurarmi, che deve dedicarmi

    [5] S. Kierkegaard, *Begrebet Angest* (1844); tr. it. *Il concetto dell'angoscia*, in *Opere*, Sansoni, Firenze 1972.

del tempo e dell'attenzione. In una parola, che deve amarmi". Del resto, già Thomas Mann ci avvertiva che: "Il sintomo della malattia è un travisamento dell'attività amorosa. Ogni malattia è una metamorfosi dell'amore".[6]

Quando gioca a essere malato l'amante teme che, se giocasse in altri campi della vita reale, andrebbe incontro a una sconfitta. E per non incontrare la propria sconfitta e difendere così la propria dignità, l'amante finisce con l'assicurarsi la più definitiva delle sconfitte: l'impotenza per malattia, conseguente alla traduzione del proprio corpo da corpo d'amore in corpo di dolore.

Odio e amore quindi per i giochi forti, amore e malattia per chi ha paura di entrare nel gioco forte dell'amore. I nostri sentimenti non sono chiari e distinti come le nostre idee. E le nostre idee non hanno alcun potere sul loro intrecciarsi e avvinghiarsi. A conoscerli è solo la vita con i suoi entusiasmi e le sue disperazioni. Non c'è un'altra strada.

[6] Th. Mann, *Der Zauberberg* (1924); tr. it. *La montagna incantata*, Dall'Oglio, Milano 1980, vol. I, p. 143.

14.

Amore e passione

Il calcolo della ragione e la fantasia del cuore

La passione non è cieca, è visionaria.
STENDHAL, *L'amore* (1822), p. 89.

Non conosciamo più la passione perché l'abbiamo affogata nel sesso che, nel corpo a corpo, annulla la distanza di cui la passione si alimenta. Finché la generazione non si stancherà del sesso sarà difficile reperire passioni in quella forma eroica e sublime che l'età romantica conobbe e seppe distinguere dall'amore.

A differenza dell'amore, infatti, la passione non ubbidisce a regole, ignora il governo di sé, risponde a un'attrazione violenta che non conosce il limite, non si alimenta di progetti e costruzioni, ma cammina nelle prossimità del sacrificio di sé, sino a fiancheggiare la morte, perché, in preda alla passione, indiscernibile diventa il confine tra la forza del desiderio che trascina e la morte che chiama.

Da quando Dio prese ad amare il suo popolo e, dopo il suo popolo, ciascuno di noi (cosa che non è prevista da alcuna religione, eccezion fatta per quella giudaico-cristiana), la passione è stata tacitata, e la sua forza incanalata in quell'inizio della Legge che pone fine alla sregolatezza.

Ne è scaturito quell'ordinamento che prevede un investimento affettivo carico di senso che interdice la libera circolazione delle passioni, le quali, da allora, sono state convogliate nel progetto, nella costruzione, nella generazione. Il tutto a intensità regolata per evitare la dissoluzione.

In questo senso è possibile dire che l'amore è cristiano, mentre la passione è pagana, perché ignora la misura, si muove in quel confine dove ogni calcolo è abolito e, nello spazio dischiuso dalla generosità senza risparmio di sé, giunge a fantasticare la propria morte come unico segno all'altezza della propria dedizione.

Per questo la passione è una sfida all'esistenza per diritto divino. Nella sua empietà, essa sigilla un patto di predestinazione che non esclude la morte, da cui invece si tiene lontano l'amore benedetto da Dio, i cui segni di dedizione si scambiano in quella forma idealizzata che sfuma i desideri e sublima i piaceri, per non incontrare quello scambio impossibile che ha nel suicidio degli amanti la sua assolutizzazione.

Quando dice "ti amo", la passione, a differenza dell'amore, non accorda a questa frase un senso compiuto, mettendo fine a tutto. Nella sua condizione mai satura, il "ti amo" della passione non è un'affermazione, ma un ottativo disperato, non è una "dichiarazione" d'amore, ma una "invocazione" d'amore, che da subito sa che resterà inevasa. Lacerazione di un incontro mancato anche nella fusione dei corpi, dove la tensione rimane intensa e fluttuante, e non elargita a dosi omeopatiche, con quel differenziale minimo d'affetto che è sufficiente a garantire, a tranquillizzare.

No. La passione cerca disperatamente di investire il suo ambiente secondo un'economia che non è quella acquisitiva e rassicurante dell'amore, ma quella dispersiva che, mentre cerca la rassicurazione, vuole nello stesso tempo essere smentita, rifiutata, delusa, vuol sentirsi dire che le cose non stanno così.

Ed effettivamente non stanno così, perché non c'è nessun evento della realtà che sia davvero all'altezza della passione, per la quale sono frivolezze secondarie la prova dell'affetto, del piacere, della domesticità, dell'amare e dell'essere amato, costellazioni patetiche di umori, desideri, sguardi, volti.

E questo perché la passione conosce il *destino* e non lo *scambio*, dove tutte le compensazioni sono possibili, gli equilibri raggiungibili, le relazioni ottimizzabili. Nella passione non c'è scambio, perché l'altro non esiste se non nella testa di chi ama. L'altro è solo la materia per la sua creazione.

A sentire Stendhal, per il quale "la passione non è cieca, è visionaria",[1] tutto comincia dall'*ammirazione* per una persona. L'ammirazione mette in moto l'*immaginazione* che adorna l'essere amato di tutte le possibili perfezioni, e così attiva nell'amante l'*aspettativa* e la *speranza* non tanto di essere ricambiato come avviene nelle vicende d'amore, quanto di fondersi con quella perfezione immaginata che ha trovato nell'amato la sua incarnazione. Si approda così a quello stadio che Stendhal chiama "prima cristallizzazione":

> Lasciate lavorare la testa di un innamorato per ventiquattr'ore, ecco che cosa vi troverete: nelle miniere di sale di Salisburgo si usa gettare nelle profondità abbandonate un ramo privato di foglie dal gelo: due o tre mesi dopo lo si ritrova coperto di fulgide cristallizzazioni: i più minuti ramoscelli, quelli che non sono più grossi dello zampino di una cincia, sono fioriti d'una infinità di diamanti mobili e scintillanti; è impossibile riconoscere il ramo primitivo.[2]

La passione, infatti, trasfigura. Non all'improvviso, né in maniera fulminea, ma nel tempo, a mano a mano che ogni cosa bella, ogni sentimento gioioso vengono riferiti all'immagine che l'innamorato si è fatto della persona amata. Come scrive Flaubert:

> Ella era il punto luminoso verso cui tutte le cose convergevano. [...] Parigi era ai suoi piedi e la grande città con tutte le sue voci risuonava intorno a lei come una grande orchestra.[3]

Qui vediamo in azione la *fantasia* che è la materia di cui la passione si alimenta. Chi ha una fantasia molto sviluppata ha più probabilità, rispetto ad altri, di vivere questa esperienza che consente alla costruzione fantastica di assumere una vita autonoma o, come dice Stendhal, di "ripagarsi con una moneta che conia da sé, evitando per sempre la noia"[4] costantemente in agguato nei limiti della realtà. Per questo, prosegue Stendhal:

[1] Stendhal, *De l'amour* (1822); tr. it. *L'amore*, Mondadori, Milano 1980, p. 89.
[2] Ivi, p. 147.
[3] G. Flaubert, *L'éducation sentimentale* (1869); tr. it. *L'educazione sentimentale*, Mondadori, Milano 1984, p. 96.
[4] Stendhal, *L'amore*, cit., p. 77.

Le persone "con i piedi per terra" dicono che l'amore è una follia. In realtà ciò che accade è che la fantasia violentemente distorta da immagini piacevolissime, dove ogni passo ti avvicina alla felicità, viene crudamente riportata alla dura realtà.[5]

La realtà non accoglie solo il terrore di essere rifiutati da quella fonte unica di ogni gioia che è la persona amata, ma anche la paura di essere amati da questa creatura perfetta. Nel caso infatti in cui si è ricambiati, la felicità reale prende il posto di quella fantastica, e siccome non c'è realtà che possa eguagliare la fantasia "dobbiamo ben guardarci," ammonisce Flaubert, "dal toccare l'idolo per paura che la sua patina dorata ci rimanga attaccata alle mani".[6]

La passione, infatti, può continuare la sua creazione fantastica solo se ad alimentarla sono il dubbio e l'incertezza che, scrive Stendhal: "tengono desto il desiderio e viva la scintilla della passione che la certezza, invece, uccide".[7] Senza certezza, e in uno stato di irrequieta tensione, si approda alla "seconda cristallizzazione", in cui la felicità scaturisce dalla temporanea vittoria sulle incertezze che la passione alimenta, perché "fa dubitare delle cose più certe".[8]

Sciolta dalla realtà, la passione si fa inquieta, lambisce il sogno a occhi aperti, esponendosi senza ritegno al gioco dell'illusione e della delusione, che non impedisce il rifiorire dell'incertezza sul tronco snervato del desiderio, in un'offerta affollata di speranze insoddisfatte. Ma la passione non dispera del possibile e, senza rinunciare al timore e senza privarsi del pericolo, la passione rifiuta ogni acquietante sicurezza, perché sa che:

L'amore è un fiore delizioso, ma bisogna avere il coraggio di andarlo a cogliere sull'orlo di un abisso spaventoso.[9]

[5] Ivi, p. 82.
[6] G. Flaubert, *Madame Bovary* (1857), Rizzoli, Milano 1949, p. 169.
[7] Stendhal, *Le rouge et le noir* (1830); tr. it. *Il rosso e il nero*, De Agostini, Novara 1982, p. 298.
[8] Stendhal, *L'amore*, cit., pp. 42-43.
[9] Ivi, p. 120.

È l'abisso che si apre quando, in preda alla passione, si perde il controllo e il dominio di sé, perché invasi, attraversati, invischiati, esposti in passività, secondo quell'andamento così ben descritto da Blanchot:

> La passione sfugge alla possibilità, poiché sfugge, in coloro che ne sono presi, ai loro stessi poteri, alla loro decisione e anche al loro desiderio. In ciò l'estraneità stessa, che non ha riguardo né a ciò che essi possono, né a ciò che essi vogliono, ma li attrae in quella condizione in cui divengono stranieri a se stessi, in un'intimità che li rende inoltre stranieri l'un l'altro. Così, dunque, eternamente separati, come se la morte fosse in loro, tra loro? Non separati, né divisi: inaccessibili e, nell'inaccessibile, sotto un rapporto infinito.[10]

La passione, infatti, condanna alla delusione ogni presa che voglia afferrare, al disappunto ogni tentativo che voglia possedere, perché la passione ama l'intervallo che concede alla fantasia il suo sogno e alla visione la possibilità di diventare visionaria, in quella temporalità diacronica degli amanti che, proprio perché non si sincronizzano mai, possono dar fondo alla loro immaginazione.

La loro dimora, infatti, non conosce la fusione e neppure l'adeguamento, ma piuttosto l'irriducibilità, la sofferenza del non possesso, che consegna gli amanti a un'esposizione passiva priva di dominio, e insieme li instaura come trascendenza di cui non ci si può appropriare. E questo perché, scrive Levinas:

> Il carattere passionale dell'amore consiste nella dualità insuperabile degli esseri. È una relazione con ciò che si sottrae per sempre e che è impossibile tradurre in termini di potere.[11]

Avendo concentrato il mondo nel volto dell'amato, da quel volto filtra anche tutto ciò che quel volto attualmente non è, quindi un "non ancora" che la passione insegue, la ricerca di un futuro che non è mai abbastanza futuro,

[10] M. Blanchot, *La communauté inavouable* (1983); tr. it. *La comunità inconfessabile*, Feltrinelli, Milano 1984, p. 66.
[11] E. Levinas, *Le temps et l'autre* (1979); tr. it. *Il tempo e l'altro*, Il melangolo, Genova 1987, p. 55.

di un lontano più lontano di tutte le distanze. Per dirla ancora con Levinas: "Godimento del trascendente".[12]

Di fronte alla passione, la ragione è impotente e, con la ragione, la volontà. Ma anche se la ragione resta interdetta, muta, sorpresa e quasi intontita nel suo stupore, non parliamo troppo in fretta di "patologia", ma piuttosto di capacità di immaginare qualcosa di meglio del reale, di prospettare orizzonti pieni di incanto, di riprodurre qualcosa che assomiglia alla perfezione ideale nella transitorietà di un continuo mutamento. Parliamo di capacità di vedere speranza là dove la ragione vede impossibilità.

Certo, la passione non è priva di rischi. Il suo gioco emozionale totalizzante che fa confluire nella persona amata tutta la bellezza del mondo e tutta la possibile felicità, anche quella che non ha nulla a che vedere con lei, ha il suo rovescio nella *disperazione*, quando la fonte della gioia si sottrae e il mondo si fa vuoto, insignificante, nauseabondo, orrendo. Questo è il motivo per cui non sorprende che l'innamorato respinto talvolta si uccida o uccida la persona amata, nel tentativo disperato di possederla "prendendole la vita".

Ma se la passione riesce a evitare il suo suicidio, allora quell'amalgama di immaginazione e di emozione che scatena è la prima forza che consente a ciascuno di prefigurare una felicità al di là della pigra rassegnazione, di costruirsi una visione del mondo più luminosa di quella offerta dall'opacità del reale.

E se anche tutto ciò può essere catastrofico per il singolo individuo, cosa sarebbe il mondo se nessuno ne avesse immaginato uno migliore, se nessuno fosse stato disposto a sopportare umiliazione e dolore perché accadesse qualcosa di meglio rispetto agli scenari che la prudenza della ragione e il calcolo del "sano realismo" prefigurano per l'insipida sicurezza di quanti prediligono la garanzia della noia al rischio dell'entusiasmo?

---

[12] E. Levinas, *Totalité et infini* (1961); tr. it. *Totalità e infinito*, Jaka Book, Milano 1980, p. 262.

15.

Amore e immedesimazione

L'alienazione nell'altro per amore di sé

> Noi lavoriamo continuamente all'inganno di noi stessi. E ora credete voi, che tanto parlate e decantate l'"obliar se stessi nell'amore", lo "sciogliersi dell'io nell'altra persona", che ciò sarebbe qualcosa di sostanzialmente diverso? Dunque si infrange lo specchio, ci si immagina in un'altra persona che si ammira, e si gode poi la nuova immagine del proprio io, anche se la si chiama col nome dell'altra persona.
>
> F. NIETZSCHE, *Umano troppo umano, II,* (1878-1880), § 37.

Se la passione è "patire l'altro", non c'è passione che non comporti una sorta di *alienazione* da sé, che di solito approda o nell'*immedesimazione* con la persona amata, con conseguente perdita e smarrimento della propria identità, o nel *possesso* della persona amata, con la tendenza a escluderla dal mondo, perché il mondo è visualizzato come una minaccia a quell'unione che la passione vuole totale. In entrambi i casi si tende a eliminare la *distanza* che intercorre fra gli amanti o attraverso l'annullamento di sé nell'altro (*immedesimazione*) o riassorbendo l'altro in sé (*possesso*). Nietzsche ha colto molto bene la dinamica dell'immedesimazione che così descrive:

"L'amore rende uguali." L'amore vuole risparmiare all'altro, al quale si consacra, ogni senso di *estraneità (Fremdsein).* Conseguentemente è tutto un fingere e un assimilarsi, un continuo ingannare e recitare la commedia di un'uguaglianza che in verità non esiste. E questo avviene così istintivamente, che le donne innamorate negano questa finzione e questa costante dolcissima impostura e affermano temerariamente che l'amore rende uguali (cioè opera un miracolo). Questo processo è semplice: quando uno dei due *si lascia amare* e non trova necessario fingere, piut-

tosto lo lascia fare all'altro, a colui che ama. Ma quando entrambi sono completamente invaghiti l'uno dell'altro, e quindi ognuno rinuncia a se stesso e vuole farsi uguale all'altro e a lui solo, non c'è commedia più ingarbugliata e impenetrabile, e alla fine nessuno sa più cosa deve imitare, a che scopo deve fingere, per chi deve spacciarsi. La bella assurdità di questo spettacolo è troppo perfetta per questo mondo e troppo sottile per occhi umani.[1]

Nel tentativo disperato di non essere un estraneo all'altro, chi ama cerca di essere come presume l'amato lo voglia. E così si allontana da sé fino a rinunciare a se stesso, per diventare, rispetto all'amato, il suo doppio, il suo specchio, la sua conferma. Quel che si crea in questa distorsione dell'amore è da un lato la *solitudine narcisistica* della persona amata, che trova nell'amante null'altro che la conferma di sé, e dall'altro la *dipendenza totale* dell'amante dall'amato che, in questo modo, si allontana da sé, per prodursi solo come riflesso dell'amato.

In questo gioco distorto degli specchi e dei riflessi incrociati, la situazione si complica e si fa paradossale quando entrambi i soggetti della relazione vogliono reciprocamente divenire come l'uno presume l'altro lo voglia. Qui comincia quell'assurdo gioco delle parti dove nessuno dei due è più se stesso e, invece di "sciogliersi nell'amore", come essi credono, si sciolgono nel gioco delle maschere. Queste vengono di continuo adattate dagli amanti all'ipotetico desiderio dell'altro, a cui entrambi vogliono conformarsi nel segno della *fusione*, dove a fondersi non è più il loro se stesso autentico perso chissà dove, ma il loro desiderio di abolire ogni distanza, che temono più pericolosa della perdita di sé.

Sacrificio di sé per amore dell'altro, ultimo cascame dell'amore cristiano che i mistici celebrano nell'*imitatio Christi*, con la sola differenza che, tra gli amanti che si immedesimano nella rinuncia di sé, nessuno dei due è Dio in terra. E allora, scrive Nietzsche:

[1] F. Nietzsche, *Morgenröthe. Gedanken über die moralischen Vorurtheile* (1881); tr. it. *Aurora. Pensieri sui pregiudizi morali*, in *Opere*, Adelphi, Milano 1964, vol. V, 1, Libro V, § 532, pp. 246-247.

L'inganno nell'amore. Si dimenticano molte cose del proprio passato e le si caccia di proposito dalla mente: cioè si vuole che la nostra immagine, che irraggia dal passato verso di noi, ci inganni, lusinghi la nostra presunzione – noi lavoriamo continuamente all'inganno di noi stessi. E ora credete voi, che tanto parlate e decantate l'"obliar se stessi nell'amore", lo "sciogliersi dell'io nell'altra persona", che ciò sarebbe qualcosa di sostanzialmente diverso? Dunque si infrange lo specchio, ci si immagina in un'altra persona che si ammira, e si gode poi la nuova immagine del proprio io, anche se la si chiama col nome dell'altra persona – e tutto questo procedimento *non* sarebbe inganno di sé, *non* sarebbe egoismo, gente strana! Io penso che coloro che nascondono qualcosa di sé *a se stessi* e coloro che a se stessi si nascondono come tutto, sono uguali in ciò a coloro che commettono un *furto* nella camera del tesoro della conoscenza: dal che risulta contro quale reato ci metta in guardia il detto: "conosci te stesso".[2]

Ma cosa davvero cercano gli amanti in quella reciproca immedesimazione che impropriamente chiamano "amore"? Cosa cercano in questa alienazione che li porta altrove, lontani ciascuno da sé? Cercano di allontanarsi dal disprezzo di sé, da tutto ciò che di sé non piace, dalla loro parte rifiutata che tendono a rimuovere e a dimenticare, percorrendo quella via breve che non conosce il cammino lento del *cambiamento*, ma il salto rapido dell'*identificazione*, che consiste nell'assumere come propria identità quella dell'altro. E se Socrate si limitava a "farsi bello, per andare bello da un bello",[3] Roland Barthes, a commento di questo passo del *Simposio*, senza più freni, scrive:

Io devo rassomigliare a chi amo. Io postulo (ed è questo che mi delizia) una conformità di essenza fra l'altro e me. Immagine, imitazione: faccio il maggior numero di cose come l'altro. Io voglio essere l'altro, voglio che lui sia me, come se noi fossimo uniti, rinchiusi nel medesimo sacco di pelle, giacché il vestito non è altro che il liscio involucro di quella materia coalescente di cui il mio immaginario amoroso è fatto.[4]

[2] F. Nietzsche, *Menschliches, Allzumenschliches. Ein Buch für freie Geister, II*, (1878-1880); tr. it. *Umano troppo umano. Un libro per spiriti liberi, II*, in *Opere*, cit., 1967, vol. IV, 3, Parte I, § 37, pp. 25-26.

[3] Platone, *Simposio*, 174 a.

[4] R. Barthes, *Fragments d'un discours amoureux* (1977); tr. it. *Frammenti di un discorso amoroso*, Einaudi, Torino 1979, p. 15.

Ingannandosi come sempre fanno, gli amanti chiamano l'immedesimazione nell'altro "amore". In realtà, chi ama in questo modo non è dell'altro che si sta occupando, ma sotto la più falsa delle apparenze si sta occupando di sé, attraverso la *rimozione* della propria identità e l'*assunzione* di quella nuova identità che, ammirata nell'altro, si vuole per sé. Nietzsche, che ha colto sino in fondo questa dinamica, scrive in un aforisma:

> Autodistruzione, autodivinizzazione, autodisprezzo – in ciò consiste tutto il nostro giudicare, amare, disprezzare.[5]

Autodistruzione della propria identità rifiutata e autodivinizzazione per la nuova identità rubata all'altro, lungo quel percorso che, per nascondere il furto, siamo soliti chiamare "amore". In realtà non di amore si tratta, ma di una nuova e positiva immagine di sé che corrisponda il più possibile a quell'*ideale dell'Io* che rasenta la perfezione e che il nostro *Io reale* insegue affannosamente e sempre tra mille inciampi. Certo, perché l'altro con cui mi identifico per rapirgli la sua perfezione non è detto che la possieda davvero. In questo caso viene in soccorso dell'amante l'*idealizzazione* dell'amato in quelle forme che Nietzsche così descrive:

> L'amore ha un impulso segreto a vedere nell'altro come possibili le più belle cose del mondo, o a innalzarlo più in alto possibile: ingannarsi a questo riguardo sarebbe per esso un piacerè e un vantaggio – e così si fa.[6]

Il risultato finale dell'alienazione di sé per immedesimazione nell'altro non è, come si crede, una fusione d'amore, ma un *incontro mancàto*, dove i due non si vedono proprio, perché ciascuno si identifica con l'immagine idealizzata dell'altro, a cui poi, con una negazione di sé, cerca di conformarsi. Forse in questo senso Nietzsche può dire che:

---

[5] F. Nietzsche, *Nachgelassene Fragmente 1878-1879*; tr. it. *Frammenti postumi 1878-1879*, in *Opere*, cit., 1967, vol. IV, 3, § 27 (81).
[6] F. Nietzsche, *Aurora*, cit., Libro IV, § 309, p. 186.

Per amore le donne diventano veramente tali, quali esse vivono nell'immaginazione degli uomini da cui sono amate.[7]

Quel che Nietzsche dice delle donne, vale naturalmente anche per gli uomini che se, oltre a essere amati, a loro volta amano, finiscono per identificarsi non con la donna amata, ma con la costruzione che di lei si sono fatti. Di qui il monito di Nietzsche:

Dobbiamo proibirci di diventare l'ideale di un altro: in tal modo, costui sperpera l'energia per plasmare a se stesso il suo ideale peculiare, *lo induciamo in errore e lo allontaniamo da se stesso* – dobbiamo far di tutto per illuminarlo o cacciarlo via. Un matrimonio, un'amicizia, dovrebbe essere il mezzo (raro!!) di fortificare il nostro proprio ideale: dovremmo vedere *anche* l'ideale dell'altro e alla sua luce il nostro![8]

Se gli amanti rinunciano ciascuno a se stesso per immedesimarsi nell'altro, solo apparentemente aboliscono la distanza che li separa l'uno dall'altro, in realtà la rendono incolmabile, perché entrambi vengono a trovarsi nella posizione che ciascuno dei due ha abbandonato per essere come l'altro con cui vogliono identificarsi.

Questa rinuncia a sé, questo collocare il fondamento di sé fuori di sé, nell'altro, non esprime solo un rapporto di *dipendenza*, ma una vera e propria condizione di *alienazione* che i due non riconoscono ogni volta che, in preda agli inganni d'amore, si dicono l'un l'altro: "Sarò come tu mi vuoi". In questa donazione di sé, quel che si nasconde è il disconoscimento di sé, così ben descritto da Alain de Botton:

Ansiosi di fuggire da noi stessi ci innamoriamo di una persona che è bella, intelligente e spiritosa tanto quanto noi siamo brutti, stupidi e noiosi. [...] Forse le origini di un certo tipo di amore sono nell'impulso a sfuggire noi stessi e la nostra fragilità, per mezzo di un'alleanza amorosa con la bellezza e la forza: Dio, il circolo, Lui/Lei.[9]

[7] F. Nietzsche, *Umano troppo umano. Un libro per spiriti liberi*, I, cit., Parte VII, § 400, p. 227.

[8] F. Nietzsche, *Nachgelassene Fragmente 1879-1881*; tr. it. *Frammenti postumi 1879-1881*, in *Opere*, cit., 1964, vol. V, 1, § 6 (191), p. 468.

[9] A. de Botton, *Essays in Love* (1993); tr. it. *Esercizi d'amore*, Guanda, Milano 1995, pp. 52, 57.

Ma che succede se l'essere perfetto con cui ci siamo immedesimati, e che abbiamo preso ad amare sino a farne la ragione della nostra vita, un bel giorno decide di ricambiare il nostro amore? È questo il momento più terribile in cui si rivela l'inganno dell'immedesimazione, perché, se a promuovere il nostro amore per l'altro è stato il disconoscimento di sé, come facciamo a continuare a idealizzare chi prende ad amare il nostro disconoscimento? Qui l'immedesimazione corre il suo massimo rischio, la solitudine che l'ha promossa torna ad affacciarsi, e la distanza, che tramite l'immedesimazione si voleva abolire, torna a farsi abissale. Infatti, scrive sempre de Botton:

> Ricevere amore da qualcuno significa rendersi conto che a muoverlo sono gli stessi bisogni condizionati che avevano spinto noi verso di lui. Non ameremmo se dentro di noi non ci fosse un vuoto, ma, paradossalmente, proviamo risentimento per la stessa esigenza nell'altro. Ansiosi di trovare una risposta, troviamo soltanto un duplicato del nostro problema. Ci rendiamo conto di quanto anche l'altro abbia bisogno di trovare un idolo, capiamo che la persona amata non è esente dalla nostra insicurezza e ci vediamo costretti, quindi, a rinunciare a quella passività infantile di nasconderci dietro un'ammirazione idolatrica, una vera e propria venerazione, per assumere la duplice responsabilità di conquistare ed essere conquistati.[10]

Ma per questo è necessario rinunciare all'immedesimazione, che chiede una rinuncia alla propria identità e alla propria libertà, e promuovere quella che Furio Semerari chiama "ontologia delle differenze",[11] ossia il riconoscimento delle differenze individuali che, se da un lato non ci concede la fusione, dall'altro salvaguarda l'identità di ciascuno, da cui prende avvio il gioco della seduzione che è un *condurre l'altro a sé* e non, come nell'immedesimazione, un *abdicare a sé per l'altro*, seguendo quel sentiero perverso che de Botton così descrive:

[10] Ivi, pp. 60-61.
[11] F. Semerari (a cura di), *Amore. Itinerari di un'idea*, Schena Editore, Fassano 1996, p. 30. In questo libro, oltre all'*Introduzione* di Semerari, si veda anche il suo saggio *Amore e alienazione. L'amore-passione in Nietzsche e Proust*, da cui ho tratto le citazioni nietzscheane qui riportate, da lui accuratamente raccolte.

Percependo un senso di inferiorità, avvertii il bisogno di assumere una personalità che, non essendo precisamente la mia, fosse in grado, rispondendo alle sue inespresse richieste, di sedurre quell'essere superiore. L'amore mi condannava a non essere più me stesso? Forse non per sempre, ma in quello stadio della seduzione sì, se mi induceva a chiedermi: *Cosa piacerebbe a lei?* anziché: *Cosa piace a me?* L'amore mi costringeva a guardar me stesso attraverso il filo critico che attribuivo all'amata. Non: *Chi sono?* ma: *Chi sono per lei?* E nel movimento riflesso di queste domande, il mio io non poteva far altro che permearsi di malafede e falsità.[12]

Va da sé che il riconoscimento delle differenze individuali, se da un lato evita l'inganno dell'immedesimazione, con conseguente disconoscimento di sé, dall'altro evidenzia che anche nel più intenso trasporto d'amore non si oltrepassa mai la soglia della propria radicale solitudine, perché, come ci ricorda Platone: "Zeus ha tagliato in due gli uomini (*étemne toùs anthrópous dícha*)",[13] quasi a sancire l'impossibilità di una loro perfetta e reciproca coincidenza e a ribadire l'irriducibilità delle loro rispettive identità.

"*Volo ut sis*" dice Agostino a proposito dell'amore: "Voglio che tu sia quello che sei".[14] Quindi nessuna riduzione dell'altro a sé come nell'alienazione per *possesso* e nessuna abdicazione a sé e consegna all'altro come nell'alienazione per *immedesimazione*, ma rispetto della *differenza*, cura della *distanza*, abbandono sì, ma, come voleva l'etica degli antichi Greci, nel segno della "giusta misura" che non oltrepassa il limite, oltre il quale, nel segno dell'amore, ciò che sotterraneamente agisce è la prevaricazione nei confronti dell'altro che si vuol possedere o la rinuncia a se stessi per immedesimazione nell'altro. Se si rispetta la "giusta misura" allora nasce quello che Nozik chiama:

Il *noi*, dove due persone non sono legate fisicamente come due gemelli siamesi, [...] ma, nel formare un *noi*, mettono in comune non solo il loro benessere, ma anche la loro autonomia.[15]

[12] A. de Botton, *Esercizi d'amore*, cit., pp. 34-35.
[13] Platone, *Simposio*, 190 d.
[14] Agostino di Tagaste, *Confessiones* (401); tr. it. *Confessioni*, Fondazione Lorenzo Valla, Mondadori, Milano 1992-1997, Libro VI, 7, 12.
[15] R. Nozick, *The examined Life* (1989); tr. it. *La vita pensata. Meditazioni filosofiche*, Mondadori, Milano 1990, pp. 70-71.

Anche in amore va quindi preservato uno spazio individuale che non rifiuta la solitudine, perché se è vero, come dice Nietzsche, che ciascuno è insopportabile a se stesso, per quale ragione raddoppiare questa pena con l'invasione dell'altro? Scrive in proposito Nietzsche:

> *Guai se questo istinto comincia a infuriare!* Se si ammettesse che l'istinto dell'affetto e della premura per gli altri (l'"affezione simpatetica") diventasse due volte più forte di quel che già è, esso non potrebbe più essere *sopportato* su questa terra. Ci si limiti a considerare le pazzie cui ognuno va incontro, ogni giorno e ogni ora, per l'affetto e la premura *che porta a se stesso*, e come egli in tutto questo sia insopportabile a vedersi: che succederebbe se noi divenissimo *per altri* l'oggetto di queste follie e di questa fastidiosa invadenza, con cui fino a oggi essi hanno afflitto se stessi? Non ci si darebbe subito alla fuga appena ci si avvicinasse a noi un "prossimo"? E non copriremmo l'affezione simpatetica degli stessi epiteti ingiuriosi che abbiamo oggi in serbo per l'egoismo?[16]

Se si evita l'invasione, l'immedesimazione, l'identificazione e il possesso per salvaguardare l'autonomia dell'altro, allora, come dice Platone, l'amore *trasfigura*. Infatti:

> Non c'è nessuno che sia così vile che Eros non trasfiguri rendendolo divinamente ispirato alla virtù, al punto da farlo diventare simile a chi per natura è valoroso in sommo grado. E quel che Omero dice: "l'aver un dio infuso valore" a qualche eroe, ebbene questo prodigio negli amanti lo fa Eros potentemente da lui stesso.[17]

Se si evita di disconoscere se stessi nell'immedesimazione con l'altro, amore potenzia le qualità positive di chi mantiene il riconoscimento di sé, e in questo potenziamento trasfigura l'esistenza avvicinandola alla sua dimensione ideale. Il mantenimento in amore della propria autonomia, infatti, non solo evita l'identificazione con la persona amata, ma consente il recupero del proprio profondo se stesso e la sua proiezione nella dimensione dell'idealità.

[16] F. Nietzsche, *Aurora*, cit., Libro IV, § 143, p. 111.
[17] Platone, *Simposio*, 179 a-b. La citazione di Omero fa riferimento a *Iliade*, canto X, v. 482 e canto XV, v. 262.

E anche quando da questa dimensione si dovesse decadere, perché amore si congeda, resta comunque una traccia di quell'immagine bella di noi che, a nostra insaputa, amore ci ha fatto intravedere. E le tracce si possono sempre riprendere e, percorrendole, inaugurare un nuovo cammino che non preveda, per amore, la rinuncia a sé.

16.

Amore e possesso

L'affermazione di sé nell'annullamento dell'altro

> La possessività è il culmine di una pulsione onnipervasiva che distrugge qualsiasi cosa al suo passaggio. È come un virus folgorante, e prolifera come il germe della follia. All'inizio assume l'aspetto di una sorta di manovra d'accerchiamento di routine, quindi inoffensiva. Poi si trasforma in una specie di reticolato militare, per divenire infine una tecnica di perquisizione costante del territorio dell'altro. D'ora in poi nulla sarà più lasciato al caso, e il sistema di controllo si rivelerà calcolato nei minimi dettagli, come le strategie più sofisticate.
>
> M. CHEBEL, *Il libro delle seduzioni* (1996), p. 80.

La passione, che tende a eliminare la distanza che intercorre tra gli amanti, quando non approda all'*immedesimazione* con la persona amata, con conseguente rinuncia da parte dell'amante del suo esser proprio, segue la via del *possesso*, che riduce le possibilità di relazioni alla persona amata, fino a sacrificarla nello spazio ristretto in cui l'assillo dell'amante la circoscrive. In questo assedio, a essere sacrificata non è solo la persona amata, ma anche l'amante che, a sua volta, riduce le sue relazioni con il mondo e il significato della propria esistenza al puro e semplice possesso dell'amato.

La durata di questi amori dipende, scrive Nietzsche "dalla profondità degli abissi e degli spazi segreti e non ancora scoperti dell'anima, verso cui si protende l'infinita bramosia di possesso dell'amore".[1] Qui l'amante, a ben

---

[1] F. Nietzsche, *Nachgelassene Fragmente 1881-1882*; tr. it. *Frammenti postumi 1881-1882*, in *Opere*, Adelphi, Milano 1965, vol. V, 2, § 12 (35), p. 398.

vedere, non ama propriamente l'altro, ma solo il proprio potere sull'altro, per cui Nietzsche può concludere che l'amore come possesso è "il desiderio di potenza assoluta su di una persona (*Verlangen nach absoluter Macht über eine Person*)".[2]

Ma il possesso si esaurisce con il possedere. Di qui il detto popolare: "In amor vince chi fugge", chi non scopre mai veramente se stesso: o perché nasconde la propria anima, o perché la sua anima è così variegata nei suoi aspetti da sottrarsi a ogni presa totalizzante. Quando infatti l'amante ha l'impressione di aver raggiunto anche l'ultima piega dell'anima dell'amato, la passione svanisce, perché a promuoverla non era l'amore, ma la bramosia del potere, in quella forma sofisticata che cerca, attraverso il possesso dell'altro, il riconoscimento di sé. È questo, per Nietzsche, il fraintendimento sotteso all'amore cristiano. Infatti:

> Il nostro amore per il prossimo non è un anelito verso una nuova proprietà? [...] Quando vediamo soffrire qualcuno, utilizziamo volentieri l'occasione offerta in quel momento per impossessarci di lui. Così fa, per esempio, il benefattore e il compassionevole; anch'egli chiama "amore" la bramosia suscitata in lui di un nuovo possesso, e vi attinge il suo piacere, come dall'arridere di una nuova conquista. [...] Ci si meraviglierà effettivamente che questa selvaggia avidità di possesso sia stata a tal punto esaltata e divinizzata, come è accaduto in tutti i tempi, e che anzi da questo amore si sia ricavato il concetto di amore come contrapposto all'egoismo, mentre questo è forse proprio l'espressione più spregiudicata dell'egoismo stesso.[3]

La spregiudicatezza consiste nel fatto che chi ama per possesso o, come dice Nietzsche: "per brama di proprietà (*Verlangen nach Eigentum*)",[4] nei comportamenti, nei gesti, nelle parole in nulla differisce da chi ama disinteres-

[2] F. Nietzsche, *Nachgelassene Fragmente 1879-1881*; tr. it. *Frammenti postumi 1879-1881*, in *Opere*, cit., 1964, vol. V, 1, § 6 (54), p. 435.

[3] F. Nietzsche, *Die fröhliche Wissenschaft* (1882); tr. it. *La gaia scienza*, in *Opere*, cit., 1965, vol. V, 2, § 14, pp. 48-49.

[4] F. Nietzsche, *Jenseits von Gut und Böse. Vorspiel einer Philosophie der Zukunft* (1886); tr. it. *Al di là del bene e del male. Preludio di una filosofia dell'avvenire*, in *Opere*, cit., 1972, vol. VI, 2, § 194, p. 93.

satamente, se non per il fatto, tenuto accuratamente nascosto, di voler diventare l'oggetto esclusivo dei pensieri e dei sentimenti dell'altro. Perciò non si accontenta del possesso del corpo e del godimento sessuale che ne deriva, ma pretende che la persona amata lasci per lui tutto il suo mondo, che l'amante visualizza come carico di tentazioni e fonte di pericoli per la sua brama di possesso.

Ma anche quando questo risultato è raggiunto, chi ama in questa forma vuole qualcosa di più sottile, qualcosa di più perversamente sublime: vuole che la persona amata non si inganni su di lui, che non si conceda per una rappresentazione fantastica che si è fatta di lui, ma che ami proprio lui, non solo nella sua palese identità, ma nelle sue nascoste profondità, fino a quel nascondiglio segreto dove si cela quello che Nietzsche chiama: "il suo satanismo, la sua occulta insaziabilità (*seiner Teufelei und versteckten Unersättlichkeit*)".[5] Solo allora la sua brama di possesso è soddisfatta, ma, con la sua soddisfazione, anche la sua passione si estingue, perché non era amore per l'altro, ma, sotto quella forma, era perverso amore di sé.

Se l'altro acconsente e compiace questa brama di possesso, allora, scrive Erich Fromm: "si forma un'alleanza a due contro il mondo, e questo egoismo a due è scambiato per amore e intimità".[6] È un'intimità che si nutre della privazione del mondo, perché solo attraverso l'esclusione di qualsiasi relazione l'amante soddisfa il suo desiderio di possesso che, facendolo sentire *unico* beneficiario della dedizione, ottiene, attraverso l'altro, l'amore che non ha mai concesso a sé.

Qui fa la sua comparsa la *gelosia* che non è, come si crede, un segno dell'amore, ma un segno della concezione esclusivistica dell'amore, o, come dice Proust: "un inquieto bisogno di tirannia applicato alle cose d'amore".[7]

---

[5] *Ibidem*.

[6] E. Fromm, *The Art of Loving* (1956); tr. it. *L'arte d'amare*, il Saggiatore, Milano 1976, p. 112.

[7] M. Proust, *À la recherche du temps perdu* (1913-1923): *La prisonnière*; tr. it. *Alla ricerca del tempo perduto: La prigioniera*, Mondadori, Milano 1983-1989, vol. III, p. 479.

Un amore che priva la persona amata del godimento del mondo, da cui finisce per escludersi anche l'amante, nel momento in cui concentra tutta la sua attenzione sull'essere amato.

In queste condizioni nasce quello che Erich Fromm chiama "egoismo a due" regolato da "una fusione senza reciprocità",[8] dove il desiderio di dominio dell'uno si coniuga con il desiderio di sottomissione dell'altro. Si tratta di un egoismo che, contrariamente a quanto si crede, nasce dalla mancanza d'amore per sé, con conseguente assoluto bisogno di possedere l'altro per colmare il proprio vuoto. Ciò di cui si gode non è l'amore, che nella prigionia del possesso non ha spazio per esprimersi, ma la sottrazione ad altri della possibilità di amare. Per questo, nel romanzo *La prigioniera*, Proust può dire:

> Il mio piacere di avere Albertine fissa in casa mia non era tanto un piacere positivo, quanto quello d'aver ritirato dal mondo, dove ciascuno poteva a sua volta goderne, la fanciulla in fiore che così, se non mi dava grandi gioie, almeno ne privava gli altri.[9]

Ma oltre al possesso dell'altro per colmare il disamore per sé, c'è anche il *possesso-rifugio* nei confronti del mondo, vissuto come ostile e pauroso. E siccome *la paura è più forte del desiderio*, come tutti i meccanismi nevrotici stanno a dimostrare, più il mondo fa paura, più l'amato diventa quel riparo da cui non si può prescindere per continuare a vivere. Qui il possesso non è più un risarcimento per il mancato amore di sé, ma la condizione senza la quale la vita si fa incerta, precaria, timorosa, paurosa.

E allora la paura indossa la maschera della passione amorosa che si incendia non per un "eccesso di vita", ma, come avverte Nietzsche: "perché di vita non ce n'è abbastanza".[10] Del resto è sempre Nietzsche a ricordarcelo: "Tutto lo spirito che gli uomini applicano per combattere i mali, manca loro per inventare la gioia".[11]

[8] E. Fromm, *L'arte d'amare*, cit., p. 73.
[9] M. Proust, *Alla ricerca del tempo perduto: La prigioniera*, cit., p. 464.
[10] F. Nietzsche, *Frammenti postumi 1879-1881*, cit., § 3 (110), p. 329.
[11] Ivi, § 3 (82), p. 320.

Ma chi non sa esprimere l'amore se non nella forma del possesso (perché non ama se stesso o perché ha paura del mondo) è il vero protagonista della passione amorosa o è da questa giocato e messo a nudo nella sua fragilità? L'amante, infatti, è fragile perché non può che desiderare, mentre l'amato, per imprigionato che sia dall'amore-possesso, può giocare con il desiderio dell'amante, provocandolo o annullandolo, esaltandolo o deludendolo, fino a farlo dimettere come soggetto del potere e ridurlo a una spoglia pietosa irretita nel suo desiderio, nella più radicale incapacità di amare senza possedere.

Si giunge così a quella situazione paradossale in cui la posizione dell'amante diventa insostenibile e il gioco passa nelle mani dell'amato. Non dell'amato asservito che rivendica la sua autonomia dall'amante, ma dell'amato la cui condizione, come uno specchio, rinvia all'amante l'immagine della sua prigionia.

Si tratta di quella prigionia dove l'amante scopre che la sua sovranità non brilla di una sostanza e di un significato proprio, non solo perché il suo destino è quello di essere nelle mani dell'altro, ma anche perché il possesso a cui tende può essere realizzato solo come dono dell'altro, dal quale solo dipende l'intercessione del mondo, la sua veicolazione, il suo accesso. Ma se l'amante non ha alcun potere sul mondo se non per concessione dell'amato, il possesso che l'amante si propone di realizzare sull'amato tradisce, sotto l'apparenza del potere, tutta la sua radicale e costitutiva impotenza.

17.

Amore e matrimonio

L'amore-azione che confligge con l'amore-passione

> Una vita che mi è *alleata* per tutta la vita: ecco il miracolo del matrimonio. Una vita che vuole il mio bene quanto il suo, perché si confonde col suo: e se non fosse per tutta la vita sarebbe ancora una minaccia, quella minaccia che sempre è latente nei piaceri che ci procura una "relazione amorosa". Ma quanti uomini conoscono la differenza tra un'ossessione che si subisce e un destino che si sceglie?
>
> D. DE ROUGEMONT, *L'amore e l'Occidente* (1939), pp. 367-368.

Ma che cos'è la vita a due? Una combinazione di forze per sopperire alla propria debolezza, un'opportunità per possedere una casa propria, una modalità socialmente accettata per allontanarsi dai propri genitori, una fuga dalla solitudine, un sacrificio dettato dalla compassione, un effetto indotto dalla fascinazione o dall'ammirazione, un aiuto reciproco fondato sul denaro, un'ascesa sociale garantita dal prestigio di un nome, un estremo rimedio contro l'insonnia o contro la dispepsia, un'autorizzazione a procreare, un sedativo contro l'eccesso passionale, una via d'accesso all'adulterio, un'anticamera alla separazione, un patto di cameratismo, un espediente per sentirsi normali, un modo per non destare sospetti e curiosità, una casa di riposo per la vecchiaia, una casa di piacere, una camera di tortura?

Se così stanno le cose, e per molti le cose stanno così, scegliere un uomo o una donna *per tutta la vita* significa *scommettere* senza essere supportati da alcuna buona ragione, perché nelle cose d'amore la ragione non ha gran voce in capitolo. E ciò è vero soprattutto oggi che le ragioni di censo, le ragioni di rango, le ragioni economiche, le ragioni religiose, le ragioni sociali non hanno più in questo campo una loro forza cogente, perché il trionfo dell'individualismo, che caratterizza la nostra cultura, ha fatto sì che l'amore non abbia altro fondamento che in se stesso, cioè nell'individuo che lo vive in base alla sua personalissima idea di felicità.

Le norme della tradizione, che tanta forza hanno avuto nella regolazione del vincolo matrimoniale, oggi non hanno più influenza. E con la tradizione recedono le leggi dello Stato, le norme del diritto, i precetti della Chiesa che, con la loro rinuncia al controllo diretto dell'intimità, consentono all'amore di dispiegare la sua logica interna, che non conosce altra ragione che non sia la spontaneità del sentimento e la sua sincerità.

"Mai come oggi," scrive il sociologo Ulrich Beck, "il matrimonio è stato così etereo e fondato su basi immateriali",[1] come se l'amore reclamasse una propria realtà contro la realtà regolata dalle leggi che governano la nostra vita di tutti i giorni. La stessa distinzione tra "pubblico" e "privato", con conseguente tutela della privacy, conferma questa *autonomia* dell'amore, questa sua *autofondazione*, che non riconosce altra autorità che non sia la *decisione soggettiva*. E questo sia nel caso del matrimonio sia nel caso del divorzio, caratterizzati entrambi dal rifiuto del calcolo, dell'interesse, del tornaconto, sino al rifiuto dell'accordo, della responsabilità, della giustizia, in favore dell'autenticità del sentimento e della sua incondizionatezza.

Oggi, amare o non amare non è un'infrazione giuridica, non è un atto criminale, anche se da ciò dipende la vita di un'altra persona che può venir ferita più profondamente di quanto non possa menomare una malattia e uccidere la morte. Assolutizzato e slegato, come mai prima d'ora, da ogni referente sociale, giuridico, religioso, l'amore oggi si annuncia come assoluta promessa di felicità o come guerra senza frontiere, combattuta con le armi acuminate dell'intimità. Perché così è quando a promuovere l'amore sono le esigenze di autorealizzazione fondate sulla cieca intensità del sentimento.

---

[1] U. Beck, E. Beck-Gernsheim, *Das ganz normal Chaos der Liebe* (1990); tr. it. *Il normale caos dell'amore*, Bollati Boringhieri, Torino 1996, p. 220.

Se la tendenza fondamentale del nostro tempo è l'essere padroni della propria felicità, misurata sull'intensità della passione, per accedere al matrimonio bisogna disporre di una capacità di tedio quasi morbosa, a meno che non vi si acceda sognando una possibile passione capace di agire come una distrazione permanente, e così scongiurare le rivolte della noia.

Non si ignora che la passione potrebbe essere un'infelicità, ma si suppone che sia un'infelicità più esaltante della vita quotidiana, più elettrizzante della piccola felicità del matrimonio. Quindi: la noia rassegnata o la passione. Questo è il dilemma dell'idea moderna di felicità, misurata sull'intensità del sentimento che promette di accedere a un livello più autentico di umanità, dove le barriere sociali che ostacolano l'espressione della vita scompaiono.

L'"uomo della passione", come potremmo chiamare l'uomo del nostro tempo, attende dall'amore qualche rivelazione su se stesso o sulla vita in generale, ultimo sentore della mistica primitiva, pallida reviviscenza dell'amore romantico con il suo corredo di imprevisti, di rischi eccitanti, di gioie languide e violente. È tutto l'orizzonte del possibile che si spalanca, un destino che si arrende al desiderio con le sue illusioni di libertà e di pienezza. Ma, si domanda Denis de Rougemont:

> Chiameremo "libero" l'uomo che possiede se stesso o l'uomo della passione che cerca di essere posseduto, spogliato, gettato fuori di se medesimo, nell'estasi?[2]

Se lo visualizziamo a partire dalla passione e dai valori che dalla passione scaturiscono, il matrimonio non può apparire, come vuole l'espressione di Marisa Rusconi, che come "una dolce camera a gas".[3] Ma la passione ha davvero l'ultima parola sui vincoli d'amore?

Il sospetto ormai non è neanche più un sospetto, ma

---

[2] D. de Rougemont, *L'amour et l'Occident* (1939); tr. it. *L'amore e l'Occidente*, Rizzoli, Milano 1977, p. 338.
[3] M. Rusconi, *Amati amanti. Liberazione sessuale e nuove coppie*, Marsilio, Venezia 1998.

una certezza. Forse l'amore-passione non è mai stato per davvero un'esperienza, ma in prima istanza una faccenda letteraria, che a poco a poco ha sedotto la religione, la filosofia, l'antropologia, la psicologia e più in generale le scienze umane, per poi calarsi nelle onde mediatiche, nella musica classica e leggera che sembra non possano vivere senza una mediazione d'amore, infine negli inserti pubblicitari per aiutare le merci a uscire dagli scaffali dei supermercati ed entrare nei carrelli degli acquirenti.

All you need is love (Tutto ciò di cui hai bisogno è amore) recitava un motivo dei Beatles, e non si può dar loro torto, se è vero che negli ultimi quattrocento anni un contadino, a chi glielo avesse chiesto, avrebbe risposto che nelle cose d'amore tutto ciò che gli serviva (*all you need*) era una donna che mettesse al mondo bambini robusti, tenesse stretti i cordoni della borsa e badasse a non far andare a male il cibo.

Un principe avrebbe risposto che ciò che gli serviva era la figlia di un altro potente principato che potesse accrescere il suo potere e il suo denaro. Non diversamente avrebbe risposto un industriale dell'Ottocento e forse anche del Novecento con lo sguardo sempre rivolto alla produzione di nuovi corpi aziendali nonché alle fusioni finanziarie, e allo stesso modo i suoi dipendenti alle prese con gli spazi abitativi e con le gravidanze che accelerano e decidono l'oggetto d'amore.

A riproporre l'amore-passione fra tutte le cose di cui si ha bisogno (*all you need*) quando appunto "ci si innamora" fu, all'inizio del nostro secolo, Freud, che però descrive l'amore solo sotto il profilo della malattia. E allora ciò che davvero si cerca nella camera da letto, così come sul lettino dell'analista, non è amore, ma salute.

Il messaggio fu subito recepito e decodificato in America dove si rinunciò rapidamente alla complicazione psicoanalitica, per conservare il nucleo salutista dell'amore-passione, che l'egemonia della cultura americana ha diffuso dall'Occidente all'Oriente, costringendo il mondo intero ad aprire una breccia nelle sue secolari tradizioni, per buttarsi nelle braccia vogliose dell'amore-mercato degli occidentali.

E qui la pulsione d'amore e la pulsione di morte, di cui Freud aveva segnalato l'intima connessione, celebrano a basso profilo la loro monotona ripetizione, in quella forma degradata della trasgressione a cui invece Georges Bataille aveva dedicato pagine alte.[4]

L'amore-passione, infatti, vive di ostacoli, intensi eccitamenti, spasmi, congedi, addii; il matrimonio, invece, vive di consuetudini e vicinanza quotidiana. L'amore-passione vuole l'amore lontano dei trovatori, il matrimonio l'amore vicino dei coniugi. E in un mondo come il nostro, che ha conservato come ultimo residuo dell'amore, se non la passione, la nostalgia della passione, è ovvio che si faccia strada la tendenza ad accostarsi al matrimonio solo nella prospettiva della possibilità della separazione e del divorzio, di cui tutti chiedono la facilitazione, quando il problema, forse, non è di rendere facile il divorzio, ma di rendere difficile il matrimonio, se per concluderlo si pensa possa bastare l'amore-passione.

Ma sappiamo che le ragioni dell'etica non hanno mai avuto buon gioco di fronte agli spasmi della passione romantica. E questo soprattutto in una cultura del consumo come la nostra, dove, non essendoci nulla di durevole,[5] la libertà non è più la scelta di una linea d'azione che porta all'autorealizzazione, ma è *la scelta di mantenersi aperta la libertà di scegliere*, dove è sottinteso che le identità possono essere indossate e scartate come la cultura del consumo ci ha insegnato a fare con gli abiti.

Accade allora che questa trama illusoria della "libertà di scelta" si traduce, come osserva Lasch, in un'"astensione dalla scelta",[6] perché dove i rapporti personali seguono lo schema dei prodotti di consumo, la scelta non implica più impegni e conseguenze, perché tutto, dalla scelta di un amico a quella di un amante, di una moglie, di un marito o di una carriera, può essere suscettibile di

[4] G. Bataille, *L'érotisme* (1957); tr. it. *L'erotismo*, Mondadori, Milano 1972.
[5] Si veda a questo proposito U. Galimberti, *I vizi capitali e i nuovi vizi*, Feltrinelli, Milano 2003, capitolo 8: "Consumismo".
[6] Ch. Lasch, *The minimal self* (1984); tr. it. *l'Io minimo*, Feltrinelli, Milano 1985, p. 24.

una cancellazione immediata, non appena si offrono opportunità all'apparenza più vantaggiose.

Ma là dove la scelta non implica più effetti irrevocabili, là dove non muta il corso delle cose, dove non avvia una catena di eventi che può anche risultare irreversibile, perché tutto è intercambiabile: dalle relazioni agli amanti, dai lavori ai vicini di casa, allora è l'idea stessa di scelta che nega la libertà che pretende di sostenere.[7]

E allora, guardando dal punto di vista dell'amore-passione, il matrimonio, per il solo fatto di essere una promessa irrevocabile, è come dice Tolstoj "un inferno".[8] Ma la passione è l'unico modo in cui può declinarsi l'amore? Se la passione è *patire l'altro*, non si dà un amore che, invece di *patire*, *agisce*, che invece di declinarsi sul solo versante della passione, trascinata dalla discontinuità delle sue oscillazioni, *decide* in modo irrevocabile e, a partire da questa decisione, non *subisce* l'amore, ma lo *crea*? Forse in questo senso Denis de Rougemont può dire:

> La fedeltà è *assurda* almeno quanto la passione, ma dalla passione si distingue per un costante rifiuto di subire i suoi estri, per un costante bisogno di agire per l'essere amato, per una costante presa sul reale, che cerca non di fuggire ma di dominare.
> Dico che una fedeltà così intesa fonda la persona, perché la persona si manifesta come un'opera, nel più largo senso del termine. Essa viene edificata alla maniera di un'opera, con gli stessi criteri, dei quali il primo è la fedeltà a qualcosa che non esisteva, ma che si viene creando. Persona, opera e fedeltà: le tre parole non sono separabili né concepibili isolatamente. E tutte e tre presuppongono un partito preso, una fondamentale attitudine di creatore. [...]
> Ma siamo ancora capaci di immaginare una grandezza che non abbia nulla di romantico? E che sia il contrario d'un esaltato ardore? La fedeltà di cui parlo è una follia, ma la più sobria e quotidiana. Una follia di sobrietà che mima abbastanza bene la ragione, e che non è un eroismo, né una sfida, ma una paziente e tenace applicazione.[9]

[7] Per un approfondimento di questa tematica si veda U. Galimberti, *Psiche e techne. L'uomo nell'età della tecnica*, Feltrinelli, Milano 1999, capitolo 50: "La libertà come dissimulata schiavitù".

[8] L. Tolstoj, *Krejcerova sonata* (1889); tr. it. *La sonata a Kreutzer*, in *Quattro romanzi*, Einaudi, Torino 1977, p. 180.

[9] D. de Rougemont, *L'amore e l'Occidente*, cit., pp. 364-365.

Se l'*amore-passione*, che alimenta sia la visione romantica dell'amore sia quella mistica, è una sorta di evasione dal mondo per toccare in sogno la felicità assoluta, l'*amore-azione* che fonda il matrimonio non evade dal mondo, ma assume il proprio impegno in questo mondo, non per un'immotivata presa di posizione a favore della fedeltà, che di per sé non è un valore, ma perché, attraverso la fedeltà, prende avvio quell'azione d'amore che di continuo crea l'altro come si crea un'opera.

Naturalmente tutto ciò diventa comprensibile se appena si riesce a concepire l'amore non come uno *stato*, qual è per esempio la condizione dell'innamorato, ma come un *atto* che, invece di divinizzare il desiderio e la sua incontenibile brama che consuma la vita, invece di rendergli un culto segreto e di aspettarsi un misterioso accrescimento di gioia, sta alla parola data e, a partire dalla fedeltà al patto, prende a costruire scenari d'amore.

L'attuale crisi del matrimonio che caratterizza l'intero Occidente dice, al di là delle sorti individuali, che nella nostra cultura non si ha altra concezione dell'amore che non si risolva nella *passione*, la quale, non avendo di fronte a sé un contraltare, viene divinizzata. La passione non è da condannare, ma la sua divinizzazione è pericolosa, perché ci trattiene in un polo di quella tensione creatrice (*Spannung*, dice Jaspers)[10] in cui trova la sua articolazione ogni dinamica esistenziale.

L'altro polo non è la moderazione, il contenimento, la proibizione su cui insistono tutte le morali, bensì l'*azione* che non ignora la felicità della passione e forse neppure la sua sregolatezza, ma non si accontenta di una felicità passiva, perché vuole creare. Non una vita *dopo* la morte come promette il messaggio religioso, ma una vita *prima* della morte.

[10] K. Jaspers, *Philosophie* (1932-1955): II *Existenzerhellung*; tr. it. *Filosofia*, Libro II: *Chiarificazione dell'esistenza*, Utet, Torino 1978, pp. 594-602.

18.

Amore e linguaggio

Il tripudio della contraddizione nell'esuberanza dell'eccesso

> L'amore parla molto, è un discorso. Si dichiara, e spesso culmina in questa dichiarazione in cui finisce: atto linguistico altamente ambiguo, quasi indecente.
>
> J. Baudrillard, *Le strategie fatali* (1983), p. 95.

Dovendo esprimere l'inesprimibile, l'amore non ha parole, e perciò ne usa in gran quantità nel tentativo disperato di dare espressione a ciò che sfugge la logica, al buon senso, all'ordine del discorso che, pur essendo per sua natura tragicamente episodico, finge di essere completo.

Si va da una frase all'altra nel tentativo di catturare l'evento, si ricorre persino al silenzio per dare all'evento maggiore intensità, poi basta un cambiamento impercettibile per sconfessare tutte le parole e deviarle dalla via che si era imboccata per dar parola all'amore.

Per il solo fatto di essere un sentimento, nel linguaggio l'amore si muove un po' a vuoto, dovendo dichiararsi senza svelarsi, simulare quel che non si sa se si prova o non si prova, negarsi senza precludersi la possibilità di un recupero, esprimersi avendo cura che le parole non siano smentite dal tono con cui si pronunciano e dai gesti che le accompagnano.

Nelle cose d'amore, infatti, verità e falsità intrecciano le loro equivoche danze, dove la sincerità non garantisce nulla, così come la menzogna non necessariamente inganna, perché quando a regolare il discorso è la *passione*, chi parla non si sente fino in fondo responsabile delle sue parole, e soprattutto non è tenuto davvero a renderne conto.

Per questo si dice che l'amore è una sorta di "malattia", una "follia"; per questo si dice che l'amore "incatena". E per quanto riguarda il suo significato si dice che è un "mistero", qualcosa di "incomprensibile" che non si riesce né a spiegare, né a fondare.

Tutto questo dirotta il discorso amoroso al di fuori di qualsiasi controllo linguistico e, grazie a questa sua tipica sregolatezza, è possibile esprimere l'indicibile, rafforzare la menzogna, indebolire la verità, minimizzare il tradimento, contrastare il già detto, appianare l'equivoco, correggere il passo falso, con un cambio di livello di comunicazione, dove la contraddizione svanisce anche se la coerenza arranca. E questo perché gli amanti amano la verità, ma insieme le loro illusioni. E quando le illusioni crollano, se l'amore è una follia, ci si può sempre salvare confessando la propria irragionevolezza, lo stato di vaneggiamento, l'instabilità indotta dalla passione.

Per stabilizzare l'instabile, il linguaggio dell'amore di solito ricorre al paradosso, e perciò dice che sarà "per sempre" quel sentimento che si prova "in quel momento". Per esprimere la forza e l'intensità ricorre alla *durata*, quando non è assolutamente vero che la durata di un sentimento dipenda dalla sua intensità.

Qui il linguaggio si piega alla *malafede*, e perciò l'amante è costretto, dalla sua dichiarazione, ad agire come se l'amore non potesse mai finire, e quindi a parlare di "eternità", perché se le sue parole si limitassero a esprimere solo le sensazioni del momento, sarebbero il segno palese di una mancanza di autenticità.

Con ciò non si vuol negare che la durata di un sentimento sia un valore di cui sono privi i sentimenti che si incendiano e si spengono, si vuol solo dire che i valori posseduti anche da questi ultimi non devono essere sminuiti nella loro profondità e serietà, nella loro passione e verità, perché a essi non si aggiunge anche la qualità della durata. L'amore, infatti, è come la bellezza di un'opera d'arte, il cui valore estetico non dipende dalla sua fragilità o solidità. L'estensione temporale serve a intensificare la verbalizzazione, non la relazione. E confondere le due cose, scrive Luhmann, significa che:

Il pagamento della cambiale nel futuro diventa più costoso di quanto ci si fosse aspettato. Spese accessorie, alle quali non si era pensato, pesano molto e la passione ormai soddisfatta non può più compensarle. La discrepanza viene solo rafforzata ulteriormente dalla struttura riflessiva dell'aspettativa degli amanti. L'uguale inclinazione alla superinterpretazione, che ha fatto da sostegno alla costruzione del rapporto, così come il confronto tra speranza e realtà accelerano il disfacimento. Il rapporto non è cresciuto alla sua propria temporalità e si dissolve.[1]

Queste considerazioni valgono anche per quelle condotte a cui molte donne ricorrono per alimentare il gioco dell'amore, differendo nel tempo la concessione di sé, senza mai ovviamente spegnere la speranza. Esse parlano il linguaggio della *virtù*, in realtà ciò che sta loro a cuore non è la *castità*, ma la *durata*.

Ciò che esse ottengono è che, nell'attesa, l'innamorato finisce per apprezzare più la caccia della preda, perché quando l'amore assorbe tempo, ma soprattutto un tempo insincero, si autodistrugge. Dissolve le qualità che avevano messo le ali alla sua immaginazione e le sostituisce con la familiarità, perché la durata temporale, che conferisce all'amicizia la sua perfezione, non garantisce l'amore dalla sua corrosione.

Con la scusa che è *passiva*, la passione si permette una gran *libertà d'azione* che non ha bisogno di essere giustificata. E perciò il linguaggio sfrutta retoricamente la semantica della *passività* per indurre l'amato ad *agire* l'amore. A provocarlo, infatti, è stato un "colpo di fulmine" di cui nessuno è responsabile. E così, in nome della passione, non si deve né spiegare, né fondare, né scusare il proprio essere attivi, perché l'amore è fuori dal controllo razionale.

In realtà, proprio l'irrazionalità della passione rende molto improbabile che due persone ne siano colpite contemporaneamente. Eros non scaglia due frecce nello stesso momento, e se amore accade per caso, normalmente non accade come caso doppio. Occorre dare una spinta.

E qui la *passione* si consegna all'*azione*, ma, per non

[1] N. Luhmann, *Liebe als Passion. Zur Codierung von Intimität* (1982); tr. it. *Amore come passione*, Laterza, Bari 1987, p. 82.

perdere spontaneità e innocenza, è necessario che il linguaggio intervenga a mascherare l'avvedutezza, la ponderata pianificazione del comportamento, la strategia senza la quale la passione non sarebbe in grado di circuire e poi colpire l'altro cuore.

L'amore come "lotta", come "assedio", come "conquista", per essere efficace, deve affidarsi al linguaggio della sottomissione, dell'arrendevolezza alla volontà dell'amato, perché solo in questa forma l'amore "piace". Combinando in modo occulto "conquista" e "sottomissione", l'amore, per riuscire nel suo intento, non può che affidarsi al linguaggio della contraddizione che riesce a combinare "sollecitazione" e "accettazione", per cui si dice che "l'amore rende ciechi" e nello stesso tempo che "aguzza la vista", o che l'amore è una "prigione" da cui non si vorrebbe mai uscire, o una "malattia" da cui non si vorrebbe mai guarire, una "ferita" che ci si augura non si rimargini mai.

Non si spiegherebbero diversamente espressioni quali: "Gli amanti amano i loro mali più di tutti i beni",[2] "La più grande dolcezza è un martirio segreto",[3] "I piaceri dell'amore sono dei mali che si fanno desiderare".[4] Sono espressioni, queste, che grondano di religiosità, con chiaro riferimento alla "passione" di Cristo, dove l'amore supremo si coniuga con lo spettacolo del supremo dolore.

Questo modello d'amore e il linguaggio che lo riproduce sono attraversati, come è implicito in ogni riferimento religioso, da un fremito di trascendenza. Non si soffre per i piaceri dell'amore, per le "grazie ricevute", ma perché l'amore, come la redenzione, non si è ancora pienamente realizzato, e minaccia di profilarsi come un aldilà che non si riesce a raggiungere e che, se ancora non delude, è solo perché a sorreggerlo è un'altra virtù cristiana: la *speranza* che un giorno l'amore si realizzi pie-

---

[2] Ch. Jaulnay, *Questions d'amour ou conversations galantes. Dediées aux Belles*, Paris 1671, p. 35.

[3] B. de Cantenac, *Poésies nouvelles et autres œuvres galantes*, Paris 1661, p. 69.

[4] M. Le Boulanger, *Morale galante ou l'art de bien aimer*, Paris 1669, vol. II, p. 78.

namente, sopprimendo il dolore e abolendo la contraddizione.

Questo linguaggio religioso, idealizzando l'amore, sparge una patina di spiritualità senza dissolutezza e, togliendo alla carne tutto il suo spessore "carnale", la nobilita offrendola come carne "consunta". Sembra infatti che, nella nostra cultura, la sessualità non riesca a nobilitarsi se non attraverso un soffio di sofferenza.

Questi paradossi del linguaggio dell'amore che sfociano nella contraddizione della sofferenza desiderata, della cecità che vede acutamente, della malattia da cui non si vuol guarire, della prigione da cui non si vuol uscire, vogliono infrangere la logica, perché la logica presiede la normalità, la quotidianità, la vita di tutti i giorni, mentre l'amore vuole esprimere l'*eccesso*, l'*insolito*, lo *sconvolgente*, e non può farlo se non infrangendo le regole della ragionevolezza. Infatti non rappresenta bene la passione l'uso di un linguaggio che dà l'idea di poterla dominare, così come non rappresenta bene l'unicità dell'evento l'impiego di parole che, nella loro ordinata successione, riconosciamo adatte per una normale conversazione.

Le espressioni estreme e paradossali hanno la funzione di mettere fuori gioco le normali regole del linguaggio, perché senza eccesso, senza infrazione delle regole, nulla giustifica l'abbandono degli amanti. La semantica dell'eccesso, oltrepassando ogni misura, apre spazi a nuove libertà, di cui l'amore ha bisogno, perché esso nasce quando è *totalizzante*, quando riesce a valutare positivamente anche gli aspetti negativi della relazione, quando dà di sé l'idea di un circolo chiuso dove tutti i movimenti e gli elementi si rafforzano a vicenda, senza alcuna via d'uscita.

Il linguaggio dell'eccesso ha infatti la pretesa della *totalità*, dove amore e odio possono convergere e passare facilmente l'uno nell'altro, come differenti forme espressive di una passione unitaria, per cui mentre uno pronuncia parole d'odio, l'altro le sente come parole d'amore.

Rifiutando ogni fondazione, la pretesa totalizzante rende l'amore *ineffabile* e, per via della sua ineffabilità, la "prova d'amore" non è affidata alle parole, ma la si pretende dai corpi. Anche se a livello di corpi la prova non è sempre probante, perché il nesso tra sessualità e sentimento non è simmetrico nell'uomo e nella donna.

Di qui il "ritegno" femminile e l'"insistenza" maschile, dove l'incertezza della donna e la smania dell'uomo, per non confessarsi, incaricano il linguaggio di adornare la prudenza dell'una e il desiderio dell'altro dei paludamenti di tutti i valori che la tradizione e la cultura che ci ospitano mettono a disposizione.

La pretesa totalizzante e la propensione per l'eccesso fanno sì che il linguaggio dell'amore non abbia limiti nel sollecitare, nell'indurre, nel desiderare, nel pretendere. Questa mancanza di autolimitazione renderebbe l'amore una condizione parossistica ai confini dell'insostenibilità se a limitarlo non intervenisse il tempo, perché, scrive Luhmann:

> L'amore inevitabilmente termina e, in verità, più rapidamente che la bellezza, dunque più rapidamente che la natura. La sua fine non si inquadra nel declino cosmologico universale, ma è condizionata da se stessa. L'amore dura solo per un breve periodo e la sua fine compensa la mancanza di ogni altro limite. L'essenza stessa dell'amore, l'eccesso, è il fondamento della sua fine.[5]

Ma possiamo essere ancora più radicali e dire che la fine di un amore coincide con la sua realizzazione, che perciò deve essere il più possibile differita, se non addirittura evitata. Ciò è dovuto al fatto che l'amore detesta la ripetizione, e siccome è impossibile una creatività spinta all'eccesso, capace di produrre ogni giorno novità, si ricorre a quell'altra strategia che cerca la resistenza, gli ostacoli, gli impedimenti, perché solo così l'amore acquista durata.

Qui la parola svolge un ruolo essenziale perché, creando fraintendimenti, incomprensioni ed equivoci all'unico scopo di superarli, garantisce la continuità della comunicazione. Le parole, infatti, separano e congiungono più dei corpi e, con la loro capacità di allontanare e riavvicinare, concedono all'amore il suo tempo, che è quello di esistere solo nel "non ancora".

[5] N. Luhmann, *Amore come passione*, cit., p. 78.

Compreso tra un inizio e una fine, dove l'entusiasmo della passione anticipa, in caso di delusione, la sofferenza che non può evitare, nell'avviare una storia d'amore la donna adotta il *linguaggio dell'autocontrollo*, e perciò riflette se può accettare lettere e azzardarsi a rispondere, accondiscendere a inviti o rifiutarli, stando ben attenta che l'altro, dalle proprie parole e dai propri atteggiamenti, non tragga la conclusione che si possa ottenere di più.

La sensibilità per le sfumature aumenta il gioco dei silenzi e dei rinvii che vogliono verificare la sincerità della passione. E perciò, nella donna, amore è costretto ad agire in incognito, perché, dopo la concessione dei primi favori, di fronte a una richiesta più esplicita la donna non può più mostrarsi sorpresa o ignorare che il seduttore ha fatto assegnamento su quelle parole e su quei comportamenti che hanno superato, anche se di poco, il limite segnato dai giochi di società.

L'uomo può invece giocare a carte più scoperte e ricorrere persino a quei miserabili tentativi di "far colpo", presentando i propri pregi nella miglior luce possibile senza neppure sospettare che le donne sono refrattarie a ogni forma di millanteria, perché sono per natura realiste.

C'è poi chi rinuncia subito alla millanteria, soprattutto quando non ha nulla da millantare, per indossare i panni dell'incompreso con massiccia ostentazione di sofferenza e solitudine. Questa strategia, che già di per sé non favorisce l'incontro, dopo il fallimento ha come premio di consolazione che "dopo" ci si può convincere di essere davvero incompresi. Sia i millantatori sia gli incompresi non hanno ancora capito che in amore i frutti maturi cadono spontaneamente senza dover scuotere l'albero.

Quanto poi a raccoglierli, bisogna averlo deciso con un certo anticipo perché le regole della passione non si lasciano violare impunemente. Esse conoscono la legge del tutto/nulla, quindi castità o lussuria, mai la via di mezzo, perché quando ci si arresta dopo essere arrivati là dove non si voleva arrivare, ormai è troppo tardi, a meno che non si abbia la vocazione dell'animale da preda che si aggira perennemente inquieto tra le sbarre di una gabbia.

In ordine poi alle lettere d'amore, dove il linguaggio celebra il suo trionfo, il consiglio è di guardarsi bene dal rileggerle dopo qualche anno. Quanto poi alla loro attendibilità è bene ricordare che, se una lettera produce un effetto maggiore della presenza reale, qualcosa non procede per il verso giusto e le prospettive sono infauste. Il mittente, inoltre, deve sapere che, nelle lettere d'amore, la passione arde senza dubbio, ma è tesa più al piacere della rappresentazione che al destinatario della missiva.

Lo stesso dicasi per le lettere di commiato che sono tutte da condannare senza esitazione. Le giustificazioni addotte quali il voler risparmiare all'altro o a se stessi la sofferenza di una scena penosa, o il supporre di riuscire a esporre meglio e in modo più pacato e oggettivo le proprie ragioni sono pura e semplice viltà, o inconscio desiderio di provocare una risposta, per cui la lettera di commiato dovrebbe in realtà fungere da introduzione a un nuovo capitolo.

Quando poi, per un fraintendimento del linguaggio, si giunge, senza amore, alla scena d'amore, se questa non è spaventosa, come accade in tutte le scene d'amore senza amore, quasi sempre deve fare i conti con il ridicolo che si può ridurre, ma mai eludere del tutto. Né vale l'enfasi linguistica che si appella a: "La passione nobilita ogni cosa", perché ogni volta che assumiamo l'aspetto dei "funzionari della specie" dobbiamo anche dimostrare di essere qualcosa di più e di diverso, in un momento in cui già abbiamo consentito all'altra persona di scrutare nella profondità del nostro essere, in piena capitolazione delle barriere erette intorno al nostro io.

Quando il fuoco si estingue, e non mentre divampa, i due spesso si accorgono della diversità delle loro passioni, e può sempre capitare che uno dei due si accorga che tutto il suo corteggiamento non era poi dissimile dalla cortesia del portinaio che aumenta progressivamente fino al giorno di festa, per poi rapidamente decrescere. In questi casi le donne usano il linguaggio per nascondere, gli uomini per mentire.

I rapporti a due, come ognuno sa, si logorano, e quando si ha il sospetto che prima o poi arriverà la fine, essa in realtà è già giunta. Il luogo comune che invita a ritirarsi dal gioco con la vincita in tasca non serve, perché ci si rende conto dell'entità della vincita solo quando si comincia a perdere. Ma non disperiamo, anche il tramonto ha il suo splendore e la sua bellezza, senza però dimenticare che, quando gli sguardi si incontrano in un orizzonte pieno di fuoco, le ombre sulla terra si fanno sempre più lunghe e scure.

Nel commiato è meglio parlare con fermezza e chiarezza, fa parte del gioco. Sforzarsi di far apparire il congedo come un atto di umanità serve solo a ingannare se stessi, mai la propria vittima. In fondo la brutalità del finale rispecchia sempre l'insincerità iniziale. Tentare poi di diluire l'amore in amicizia è un'altra variante dell'insincerità, perché qualunque succedaneo dell'amore, infatti, è sempre spiacevole e non v'è nulla di peggio della pietà. Eros ha nella sua faretra un'unica freccia per ogni cuore umano, e un destino comune non diventa eccezionale per il fatto di esserne colpiti personalmente.

Ogni storia d'amore mette a nudo la natura della nostra anima, che si affida al linguaggio per esprimere il malanimo, l'invidia, la gelosia, i baci avvelenati dall'odio, la tenerezza simulata al punto da sembrar vera, la consapevolezza di conoscere i reciproci segreti: tutti anelli di quella pesante catena che attorciglia la nostra anima nelle trame che solo il linguaggio sa tessere. Forse, dietro alla vita a due non v'è nulla, e questo nulla che si cela suscita quella curiosità infinita che fa di ognuno di noi un instancabile cercatore di amore, quasi sempre immemore che ogni evento d'amore è sempre decretato dal cielo.

Siamo infatti ospiti di un evento che ci trascende e nelle cose d'amore nulla possiamo decidere. Tutte le nostre scenate, le nostre gelosie, i nostri tradimenti, la nostra fedeltà sono puro schiamazzo intorno a qualcosa che non dipende da noi, ma dal cielo che ha decretato la natura della nostra anima, da cui dipende quella sua creatura che è amore.

19.

Amore e follia

L'enigmatica voce dell'altra parte di noi stessi

> Quanto alla divina follia ne abbiamo distinto quattro forme, a ciascuna delle quali è preposta una divinità: Apollo per la follia profetica, Dioniso per la follia iniziatica, le Muse per la follia poetica, mentre la quarta, la più eccelsa, è sotto l'influsso di Afrodite e di Amore.
>
> PLATONE, *Fedro*, 265 b.

"Se io ti do il mio amore, che cosa ti sto dando di preciso? Chi è l'Io che sta facendo questa offerta? E chi, per inciso, sei tu?" si domanda lo psicanalista americano Stephen Mitchell.[1] La domanda non è retorica. Segna piuttosto un ribaltamento radicale circa il modo di considerare l'amore, quasi sempre pensato come qualcosa in possesso dell'Io, qualcosa di cui l'Io può disporre. Per questo nessuno crede sino in fondo all'altro quando dice: "Io ti amo". Amore non è una faccenda dell'Io.

L'ultimo a ricordarcelo, in ordine di tempo, è stato Freud quando ha detto che "l'Io non è padrone in casa propria",[2] perché inconsce sono le forze che determinano quelle che l'Io considera sue scelte. In questo modo Freud toglie credibilità alla fede illuminista in una ragione onnipotente che guida la volontà capace di governare le passioni. La psiche umana non è razionale, ma qualcosa che procede barcollando, senza neppure un timoniere nascosto, sconosciuto al possessore meramen-

---

[1] S. Mitchell, *Can Love Last? Fate of Romance over Time* (2002); tr. it. *L'amore può durare? Il destino dell'amore romantico*, Raffaello Cortina, Milano 2003.

[2] S. Freud, *Eine Schwierigkeit der Psychoanalyse* (1917); tr. it. *Una difficoltà della psicoanalisi*, in *Opere*, Boringhieri, Torino 1967-1993, vol. VIII, p. 663.

te nominale. I processi inconsci, infatti, non sono organizzati in una soggettività per quanto oscura e remota, perché sono frammenti dispersi.

Prima di Freud queste cose le aveva dette Nietzsche, da cui Freud, su suggerimento del suo amico Georg Groddeck, preleva il termine "Es".[3] Non "Io penso", ma "Esso pensa". E se l'Io non è padrone dei suoi pensieri come può essere padrone dei suoi amori? Per questo, come dicevamo poc'anzi, c'è una certa diffidenza nell'accogliere le parole di chi dice "Io ti amo".

Ma prima di Freud e prima di Nietzsche queste cose le aveva pensate Schopenhauer, che Nietzsche considera suo "educatore" e Freud suo "precursore". Per Schopenhauer in ciascuno di noi confliggono due vite: quella della *specie* e quella dell'*individuo*, che proprio nelle vicende d'amore trovano la loro contaminazione. E questo perché, scrive Schopenhauer: "Il soggetto del gran sogno della vita è in un certo senso uno soltanto: la volontà di vivere".[4]

Questa volontà, che è irrazionale perché non tende ad altro scopo se non alla propria perpetuazione, inganna i singoli individui con le lusinghe d'amore. Questi credono di essere i soggetti della loro vicenda erotica, in realtà sono solo strumenti che la specie utilizza per la propria conservazione. Non siamo noi i soggetti della nostra esperienza erotica, ma forze oscure e impersonali con cui la specie raggiunge i suoi scopi.

Ma prima di Freud, prima di Nietzsche, prima di Schopenhauer, queste cose le aveva dette Platone che, nel *Simposio*, ci dà forse la lettura più profonda che in Occidente sia mai stata fatta sulle cose d'amore. Scrive Platone:

[3] S. Freud, *Neue Folge der Vorlesungen zur Einführung in die Psychoanalyse* (1933); tr. it. *Introduzione alla psicoanalisi (nuova serie di lezioni)*, in *Opere*, cit., vol. XI, Lezione 31, p. 184: "Adeguandoci all'uso linguistico di Nietzsche e seguendo un suggerimento di Georg Groddeck chiameremo d'ora in poi l'inconscio 'Es'. Questo pronome impersonale sembra particolarmente adatto a esprimere il carattere precipuo di questa provincia psichica, la sua estraneità all'Io. Super-io, Io ed Es sono dunque i tre regni, territori, province, in cui noi scomponiamo l'apparato psichico della persona".

[4] A. Schopenhauer, *Die Welt als Wille und Vorstellung* (1819); tr. it. *Il mondo come volontà e rappresentazione*, Mursia, Milano 1969, p. 316.

Gli amanti che passano la vita insieme non sanno dire che cosa vogliono l'uno dall'altro. Non si può certo credere che solo per il commercio dei piaceri carnali essi provano una passione così ardente a essere insieme. È allora evidente che l'anima di ciascuno vuole altra cosa che non è capace di dire, e perciò la esprime con vaghi presagi, come divinando da un fondo enigmatico e buio.[5]

Non bisogna leggere Platone in modo "platonico", cioè ascetico, edificante, "cristiano". Non bisogna intendere la mortificazione del corpo come mortificazione dei piaceri, delle passioni, della sessualità. Platone guarda più in alto, i problemi che gli stanno a cuore sono quelli della *dicibilità* e dell'*indicibilità*, quindi le regole della ragione e gli abissi della follia.

Guardando "le cose d'amore", o come dice il testo greco i *tà aphrodísia*, Platone ci chiede che cosa con esse l'anima riesce o non riesce a dire (*eipeîn*). E dove il dire si interrompe e la regola non basta a portare la parola a espressione si apre lo sfondo buio del presagio (*manteúetai*) e dell'enigma (*ainíttetai*). Amore appartiene all'enigma e l'enigma alla follia.

Anche la follia è per Platone un'esperienza dell'anima, non nel senso del suo collasso, della chiusura al senso, dell'ottundimento dell'ordine dei significati, ma nella consapevolezza che le esperienze dell'anima sfuggono a qualsiasi tentativo che cerchi di fissarle e disporle in successione ordinata, perché, al di là di ogni ordine razionale, l'anima sente che la totalità è sfuggente, che il non-senso contamina il senso, che il possibile eccede sul reale, che ogni tentativo di comprensione totale emerge da un fondo abissale che è caos, apertura, spalancamento, disponibilità per tutti i sensi, a cui si può accedere non con le parole ordinate dell'Io, ma con il collasso dell'Io che non oppone più resistenza all'irruzione di quel passaggio trasfigurante la sua abituale dimora che è il passaggio di Amore.

Nell'edificare il cosmo della ragione, il solo che gli uomini possono abitare, Platone non chiude l'abisso della follia, ma lo riconosce come minaccia e dono, come se-

[5] Platone, *Simposio*, 192 c-d.

de di parole incontrollabili, come dimora degli dèi, perciò nel *Fedro* può dire: "I beni più grandi ci vengono dalla follia naturalmente data per dono divino".[6] E ancora: "La follia dal dio proveniente è assai più bella della saggezza d'origine umana".[7]

Ma chi sono gli dèi? Sono gli abitanti di quel mondo che sta prima dell'umana ragione e che offre alla ragione i contenuti da ordinare in una produzione compiuta di senso. Di questo mondo ha conoscenza Socrate, che non considera la ragione da lui inaugurata nella sola prospettiva dell'ordine a cui contribuisce. Sa infatti da quale caos l'ha evocata, da quale abisso l'ha chiamata fuori. Un giorno una donna ha insegnato a lui, che non sa niente, quell'unica cosa che sa: la scienza delle cose d'amore.

> Vi assicuro che di nulla ho sapere (*oudèn epístasthai*), se non delle cose d'amore (*tà erotiká*). [...] Amore è un demone possente che sta tra i mortali e gli immortali (*metaxỳ thnetoû kaì athanátou*).[8]

Dunque non una vicenda tra uomini, ma tra l'umano e quello sfondo pre-umano abitato indifferentemente dagli animali e dagli dèi. Proiezioni antropologiche di istinti e pulsioni che l'Io razionale "patisce" e perciò legge come "altro da sé". Gli dèi, infatti, sono dentro di noi e la loro follia ci abita. Sapere le cose d'amore significa allora sapere che con le cose d'amore siamo in rapporto con l'altra parte di noi stessi, con la follia da cui un giorno ci siamo emancipati, senza però lasciarla alle nostre spalle come il ricordo di un passato. Ogni volta, infatti, che abbiamo a che fare con le cose d'amore, se non siamo "uomini comuni (*bánausoi*)"[9] sappiamo di avere a che fare con questa follia.

Per questo l'amore di cui parla Socrate non ha la forma di un sentimento umano, ma quella più inquietante della possessione (*katokoché*) di un dio. L'entusiasmo che genera, lungi dall'essere un sentimento di esuberanza o di particolare eccitazione, dice che l'uomo in quella cir-

---

[6] Platone, *Fedro*, 244 a.
[7] Ivi, 244 d.
[8] Platone, *Simposio*, 177 d, 202 d.
[9] Ivi, 203 a.

costanza è abitato da un dio, ha dentro di sé un dio (*éntheos*), per cui non è l'Io razionale a proferir parola, ma il dio che lo possiede.

Quanto basta per farci capire che, in presenza di amore, l'Io razionale subisce una dislocazione (*atopía*, dice Socrate in riferimento alla sua malattia) che dis-loca (*átopos*) la nostra riflessione, e ci obbliga a pensare a partire da amore, e non dall'Io che inaugura una storia d'amore. *Amore, infatti, non è qualcosa di cui l'Io dispone, ma semmai è qualcosa che dispone dell'Io*, qualcosa che lo incrina, che lo apre alla crisi, che lo toglie dal centro della sua egoità, dall'ordine delle sue connessioni per nessi di tutt'altro genere e forma e qualità. Per questo Socrate, a proposito delle cose d'amore, parla di possessione, di *katokoché*:

> Figlio di povertà (*Penía*), Amore – riferisce Socrate – non è affatto delicato e bello, come per lo più si crede; bensì duro, ispido, scalzo, senza tetto; giace per terra sempre, e nulla possiede per coprirsi; riposa dormendo sotto l'aperto cielo, nelle vie e presso le porte. Insomma riferisce chiaramente la natura di sua madre, dimorando sempre insieme con povertà.[10]

Ma Amore è anche figlio di *Póros*, la via, il passaggio, il guado. E perciò concede alla follia che ci abita il suo transito. Questa, irrompendo nell'ordine dei significati che l'Io razionale ha costruito per espellerla, produce quel controsenso che denuncia la maschera eretta sull'elusione della follia. E qui la direzione del discorso si lascia intuire: Amore non è godimento di corpi, Amore è molto di più. Occupando "il posto intermedio tra l'uno e l'altro estremo",[11] Amore si fa interprete (*hermeneúein*) tra la ragione che l'uomo ha costruito e la follia che ancora lo abita. *Non quindi un rapporto tra uomini come si è soliti credere, ma tra la parte razionale dell'uomo e la sua parte folle o divina.*

Ma che ne è dell'Io e dell'altra parte di sé quando Amore li accoglie? Che ne è dell'uomo e del dio quando Amore

[10] Ivi, 203 d.
[11] Ivi, 202 e.

153

li interpreta? Se Amore, come Socrate ce lo ha descritto, non è tanto un *rapporto con l'altro*, quanto una *relazione con l'altra parte di noi stessi*, quindi un cedimento dell'Io per liberare in parte la follia che lo abita, Amore ha a che fare con quei limiti ontologici che sono per l'esistenza la nascita e la morte. Morte dell'Io per dissoluzione dei suoi confini, sua rinascita in nuove configurazioni. Questa oscillazione, che ogni atto d'amore porta con sé, ha bisogno della presenza dell'altro come memoria della realtà che si lascia e come possibilità di ritorno dal mondo estraneo a cui ci si è concessi nella dissolvenza dell'Io.

L'avvinghiarsi al corpo dell'altro, prima di un contatto, è dunque una presa. Per il solo fatto di esserci accanto, l'altro ci concede di perderci nella nostra follia e di riprenderci. Assistendo al cedimento del nostro Io, con la sua presenza, come la levatrice durante il parto, l'altro aiuta la nostra nascita. C'è infatti in Amore un'intenzione generativa, dice Socrate: "Porta fuori quel fondo nascosto di cui ciascuno è gravido ponendo fine alle doglie".[12] Ma questo avviene dopo l'esperienza della morte (di cui l'orgasmo è la simulazione), che ci strappa dalla nostra ostinazione a veder durare quell'Io che noi siamo.

Concedersi ad Amore, allora, non è concedersi l'uno all'altro, ma concedersi a quel paesaggio insolito e atipico che *dispone l'uno e l'altro*, al di là dei propri gesti e delle proprie intenzioni, fino alla follia, fino alla morte, che proprio in amore ha la sua massima similitudine. Poi Amore si congeda e lascia nei corpi la traccia della loro lacerazione. Ma in che senso "lacerazione"?

Se ci portiamo all'origine possiamo ricostruire le parole e le scene, rivedere il contrasto fra uomini e dèi, le ferite inferte e le cure concesse. "L'antica nostra natura non era la medesima di oggi" riferisce Platone. In principio gli uomini erano l'uno e l'altro (*amphóteroi*), la loro forma era circolare, il loro aspetto intero e rotondo, "non generavano per reciproca unione, ma per unione con la terra".[13]

[12] Platone, *Repubblica*, Libro VI, 490 b.
[13] Platone, *Simposio*, 189 d-190 b.

Un giorno Zeus, volendo castigare l'uomo senza distruggerlo, lo tagliò in due. Da allora "ciascuno di noi è il simbolo di un uomo (*hékastos oûn hemôn estin anthrópou sýmbolon*)",[14] la metà che cerca l'altra metà, il simbolo corrispondente. Per curare l'"antica ferita", Zeus, dopo averla inflitta, inviò Amore:

> Amore, fra gli dèi l'amico degli uomini, il medico, colui che riconduce all'antica condizione. Cercando di far uno ciò che è due, Amore cerca di medicare l'umana natura.[15]

Da allora gli uomini si congiungono tra loro e così generano, non più per unione con la terra, ma per unione reciproca. Mediatore fra gli uomini e gli dèi, Amore interviene al limite dell'umano, là dove il fondo non-storico, da cui la nostra storia ha preso avvio, ancora ci possiede come follia rimossa. Chi tocca questa follia ci affascina e ci induce a quel progressivo cedimento di noi stessi che rende possibile la liberazione di quella follia di cui si contorna Amore, dove il senso gioca con il non-senso e dove non si dà nuova parola se non liberando a ogni istante l'antica follia.

Così Platone erge Amore a simbolo della condizione dell'uomo, "a cui però non è concesso distogliere l'occhio dal proprio taglio".[16] E questa è la ragione per cui Amore non è solo vicenda di corpi, ma traccia di una lacerazione, e quindi incessante ricerca di quella pienezza, di cui ogni amplesso è memoria, tentativo, sconfitta.

[14] Ivi, 190 d.
[15] Ivi, 189 c-d.
[16] Ivi, 191 a.

Ora che vi ho detto tutto sull'amore, non crediate che io ne sappia più di voi: il ragazzino, il bimbo appena nato ne sanno quanto me.

L'unica differenza è che lui, che non ha anni e ancor meno esperienza, crede ancora a ciò che lo tormenta; mentre noi, che siamo carichi di anni e di esperienza, cerchiamo di affidarci a essi per rendere meno dolorose le nostre illusioni. Eppure con tutto ciò, sappiamo forse amare meglio di lui?

M. CHEBEL, *Il libro delle seduzioni* (1996), p. 130.

Indice delle opere citate

Agostino di Tagaste, *Confessiones* (401); tr. it. *Confessioni*, Fondazione Lorenzo Valla, Mondadori, Milano 1992-1997.

Baget Bozzo, G., *L'uomo, l'angelo, il demone*, Rizzoli, Milano 1989.

Barthes, R., *Mythologies* (1957); tr. it. *Miti d'oggi*, Einaudi, Torino 1974.

–, *Système de la mode* (1967); tr. it. *Sistema della moda*, Einaudi, Torino 1970.

–, *Fragments d'un discours amoureux* (1977); tr. it. *Frammenti di un discorso amoroso*, Einaudi, Torino 1979.

Bataille, G., *L'érotisme* (1957); tr. it. *L'erotismo*, Mondadori, Milano 1972.

Baudrillard, J., *Les stratégies fatales* (1983); tr. it. *Le strategie fatali*, Feltrinelli, Milano 1984.

–, *Il destino dei sessi e il declino dell'illusione sessuale*, in AA.VV., *L'amore*, Mazzotta, Milano 1992.

Beck, U., Beck-Gernsheim, E., *Das ganz normal Chaos der Liebe* (1990); tr. it. *Il normale caos dell'amore*, Bollati Boringhieri, Torino 1996.

Bettin, G., *Prefazione* a C. Corso, S. Landi, *Quanto vuoi? Clienti e prostitute si raccontano*, Giunti, Firenze 1998.

Biblia Sacra editio Monacorum Abbatiæ Pont. Sancti Hieronymi in Urbe OSB, Marietti, Casale Monferrato 1959; *Biblia Hebraica*, Kittel, Stuttgart 1937; *Septuaginta*, Rahlfs, Stuttgart 1962: *Genesi, Levitico, Deuteronomio, Cantico dei cantici, Vangelo di Luca*.

Blanchot, M., *Lautréamont et Sade*, Éd. de Minuit, Paris 1949.

–, *La communauté inavouable* (1983); tr. it. *La comunità inconfessabile*, Feltrinelli, Milano 1984.

Botton, A. de, *Essays in Love* (1993); tr. it. *Esercizi d'amore*, Guanda, Milano 1995.

Brown, N., *Life against Death* (1959); tr. it. *La vita contro la morte*, il Saggiatore, Milano 1973.

Campe, J.H., *Allgemeine Revision des gesammten Erziehungswesen von einer Gesellschaft praktischer Erzieher*, Wolfenbüttel 1787.

Cantenac, B. de, *Poésies nouvelles et autres œuvres galantes*, Paris 1661.

Carotenuto, A., *Gelosia*, in "Corriere della Sera", 16 febbraio 2003.

Chasseguet-Smirgel, J., *Creativity and Perversion* (1985); tr. it. *Creatività e perversione*, Raffaello Cortina, Milano 1987.

Chebel, M., *Le livre des séductions* (1996); tr. it. *Il libro delle seduzioni*, Bollati Boringhieri, Torino 2001.

Conrad, J., *Under Western Eyes* (1911); tr. it. *Con gli occhi dell'Occidente*, in *Opere*, Mursia, Milano 1967-1982, vol. IV.

Dante Alighieri, *La Divina Commedia* (1313-1321), Editrice italiana di cultura, Roma 1959.

De Masi, F., *Perversione*, in P.P. Portinaro, *I concetti del male*, Einaudi, Torino 2002.

Descartes, R., *Discours de la méthode* (1637); tr. it. *Discorso sul metodo*, in *Opere filosofiche*, Laterza, Bari 1986, vol. I.

Dostoevskij, F., *Besy* (1871); tr. it. *I demoni*, Einaudi, Torino 1980.

D'Urso, V., *Otello e la mela. Psicologia della gelosia e dell'invidia*, La Nuova Italia Scientifica, Roma 1995.

Erodoto, *Le storie*, Sansoni, Firenze 1967.

Flaubert, G., *Madame Bovary* (1857); tr. it. *La signora Bovary*, Rizzoli, Milano 1949.

–, *L'éducation sentimentale* (1869); tr. it. *L'educazione sentimentale*, Mondadori, Milano 1984.

Foucault, M., *La volonté de savoir* (1976); tr. it. *La volontà di sapere*, Feltrinelli, Milano 1978.

Freud, S., *Bruchstück einer Hysterie-Analyse* (1901); tr. it. *Frammento di un'analisi d'isteria (Caso clinico di Dora)*, in *Opere*, Boringhieri, Torino 1967-1993, vol. IV.

–, *Drei Abhandlungen zur Sexualtheorie* (1905); tr. it. *Tre saggi sulla teoria sessuale*, in *Opere*, cit., vol. IV.

–, *Beiträge zur Psychologie des Liebes-lebens* (1910-1917); tr. it. *Contributi alla psicologia della vita amorosa*, in *Opere*, cit., vol. VI.

–, *Totem und Tabu* (1912-1913); tr. it. *Totem e tabù*, in *Opere*, cit., vol. VII.

–, *Eine Schwierigkeit der Psychoanalyse* (1917); tr. it. *Una difficoltà della psicoanalisi*, in *Opere*, cit., vol. VIII.

–, *Jenseits des Lustprinzips* (1920); tr. it. *Al di là del principio di piacere*, in *Opere*, cit., vol. IX.

–, *Massenpsychologie und Ich-Analyse* (1921); tr. it. *Psicologia delle masse e analisi dell'Io*, in *Opere*, cit., vol. IX.

–, *Über einige neurotische Mechanismen bei Eifersucht, Paranoia und Homosexualität* (1922); tr. it. *Alcuni meccanismi nevrotici nella gelosia, paranoia e omosessualità*, in *Opere*, cit., vol. IX.

–, *Neue Folge der Vorlesungen zur Einführung in die Psychoanalyse* (1933); tr. it. *Introduzione alla psicoanalisi (nuova serie di lezioni)*, in *Opere*, cit., vol. XI.

Fromm, E., *The Art of Loving* (1956); tr. it. *L'arte d' amare*, il Saggiatore, Milano 1976.

Frost, R.L., *The Death of the Hired Man*, New York 1942.

Galimberti, U., *Il corpo* (1983), Feltrinelli, Milano 2002.

–, *La terra senza il male. Jung: dall'inconscio al simbolo* (1984), Feltrinelli, Milano 2001.

–, *Gli equivoci dell'anima* (1987), Feltrinelli, Milano 2001.

–, *Psiche e techne. L'uomo nell'età della tecnica*, Feltrinelli, Milano 1999.

–, *Orme del sacro. Il cristianesimo e la desacralizzazione del sacro*, Feltrinelli, Milano 2000.

–, *I vizi capitali e i nuovi vizi*, Feltrinelli, Milano 2003.

Gentile, G., *Frammento di una gnoseologia dell'amore* (1918), in *Teoria generale dello spirito come atto puro*, in *Opere*, Sansoni, Firenze 1959, vol. III.

Gulik, R.H. van, *Life in Ancient China* (1974); tr. it. *La vita sessuale nell'antica Cina*, Adelphi, Milano 1987.

Hegel, G.W.F., *Die Liebe* (1800); tr. it. *L'amore*, Appendice n. 10 agli *Scritti teologici giovanili*, Guida, Napoli 1972.

–, *Vorlesungen über die Aesthetik* (1836-1838); tr. it. *Estetica*, Feltrinelli, Milano 1963.

Heidegger, M., *Das Ding* (1950); tr. it. *La cosa*, in *Saggi e discorsi*, Mursia, Milano 1976.

Heisenberg, W.K., *Über den anschaulichen Inhalt der quantentheoretischen Kinematik und Mechanik* (1927); tr. it. *I principi fisici della teoria dei quanti*, Utet, Torino 1963.

Hillman, J., *Senex and Puer. An Aspect of the Historical and Psychological Present* (1964-1967); tr. it. *Puer æternus*, Adelphi, Milano 1999.

–, *An Essay on Pan* (1972); tr. it. *Saggio su Pan*, Adelphi, Milano 1972.

Hobbes, Th., *Elementorum philosophiæ sectio tertia: De cive* (1642); tr. it. *Elementi filosofici sul cittadino*, in *Opere politiche*, Utet, Torino 1971, vol. I.

Ippocrate, *L'antica medicina*, in *Opere*, Utet, Torino 1976.

Jaspers, K., *Philosophie* (1932-1955): I *Philosophische Weltorientierung*, II *Existenzerhellung*, III *Metaphysik*; tr. it. *Filosofia*, Libro I: *Orientazione filosofica nel mondo*, Libro II: *Chiarificazione dell'esistenza*, Libro III: *Metafisica*, Utet, Torino 1978.

Jaulnay, Ch., *Questions d'amour ou conversations galantes. Dediées aux Belles*, Paris 1671.

Jung, C.G., *Versuch zu einer psychologischen Deutung des Trinitätsdogmas* (1942-1948); tr. it. *Saggio d'interpretazione psicologica del dogma della Trinità*, in *Opere*, Boringhieri, Torino 1969-1993, vol. XI.

Kant, I., *Beantwortung der Frage: Was ist Aufklärung?*, in "Berlinische Monatsschrift", vol. IV, dicembre 1784, pp. 481-494; tr. it. *Risposta alla domanda: Che cos'è l'illuminismo?*, in A. Tagliapietra (a cura di), *Che cos'è l'illuminismo? I testi e la genealogia del concetto*, Bruno Mondadori, Milano 1997.

–, *Grundlegung zur Metaphysik der Sitten* (1785); tr. it. *Fondazione della metafisica dei costumi*, Rusconi, Milano 1994.

–, *Die Metaphysik der Sitten* (1797); tr. it. *La metafisica dei costumi*, Laterza, Bari 1991.

–, *Über Pädagogik* (1803); tr. it. *La pedagogia*, La Nuova Italia, Firenze 1969, pp. 74-77.

Kerouac, J., *On the Road* (1957); tr. it. *Sulla strada*, Mondadori, Milano 1959.

Kierkegaard, S., *Frygt og Baeven* (1843); tr. it. *Timore e tremore*, in *Opere*, Sansoni, Firenze 1972.

–, *Begrebet Angest* (1844); tr. it. *Il concetto dell'angoscia*, in *Opere*, cit.

Klassen, W., *Giuda, traditore o amico di Gesù?*, Bompiani, Milano 1999.

La Rochefoucauld, F. de, *Reflexions ou sentences et maximes morales* (1665); tr. it. *Massime*, Rizzoli, Milano 1992.

Lasch, Ch., *The minimal self* (1984); tr. it. *l'Io minimo*, Feltrinelli, Milano 1985.

Le Boulanger, M., *Morale galante ou l'art de bien aimer*, Paris 1669.

Levinas, E., *Totalité et infini* (1961); tr. it. *Totalità e infinito*, Jaca Book, Milano 1980.

–, *Le temps et l'autre* (1979); tr. it. *Il tempo e l'altro*, Il melangolo, Genova 1987.

Lévi-Strauss, C., *Les structures élémentaires de la parenté* (1947); tr. it. *Le strutture elementari della parentela*, Feltrinelli, Milano 1972.

Lorenz, K., *Das sogenannte Böse. Zur Naturgeschichte der Aggression* (1963); tr. it. *Il cosiddetto male. L'aggressività*, il Saggiatore, Milano 1976.

Luhmann, N., *Liebe als Passion. Zur Codierung von Intimität* (1982); tr. it. *Amore come passione*, Laterza, Bari 1987.

Lütkehaus, L., *"O Wollust, o Hölle". Die Onanie. Stationen einer Inquisition* (1992); tr. it. *La solitudine del piacere. Scritti sulla masturbazione*, Raffaello Cortina, Milano 1993.

Mann, Th., *Der Zauberberg* (1924); tr. it. *La montagna incantata*, Dall'Oglio, Milano 1980.

Marx, K., *Oekonomisch-philosophische Manuskripte aus dem Jahre 1844*; tr. it. *Manoscritti economico-filosofici del 1844*; in *Marx Engels Opere Complete*, Editori Riuniti, Roma 1980, vol. III, 1976.

Mathes, E.W., Adams, H.E., Davies, R.M., *Jealousy: Loss of Relationship Rewards, Loss of Self-esteem, Depression, Anxiety and Anger*, in "Journal of Personality and Social Psychology", n. 48, 1985, pp. 1552-1561.

Merleau-Ponty, M., *Phénoménologie de la perception* (1945); tr. it. *Fenomenologia della percezione*, il Saggiatore, Milano 1972.

Millett, K., *Prostitution. A Quartet for Female Voices* (1971); tr. it. *Prostituzione. Quartetto per voci femminili*, Einaudi, Torino 1975.

Mitchell, S., *Can Love Last? Fate of Romance over Time* (2002); tr. it. *L'amore può durare? Il destino dell'amore romantico*, Raffaello Cortina, Milano 2003.

Nietzsche, F., *Menschliches, Allzumenschliches. Ein Buch für freie Geister, I-II* (1878-1880); tr. it. *Umano troppo umano. Un libro per spiriti liberi, I-II*, in *Opere*, Adelphi, Milano 1965-1967, vol. IV, 2-3.

–, *Nachgelassene Fragmente 1878-1879*; tr. it. *Frammenti postumi 1878-1879*, in *Opere*, cit., 1967, vol. IV, 3.

–, *Nachgelassene Fragmente 1879-1881*; tr. it. *Frammenti postumi 1879-1881*, in *Opere*, cit., 1964, vol. V, 1.

–, *Morgenröthe. Gedanken über die moralischen Vorurtheile* (1881); tr. it. *Aurora. Pensieri sui pregiudizi morali*, in *Opere*, cit., 1964, vol. V, 1.

–, *Nachgelassene Fragmente 1881-1882*; tr. it. *Frammenti postumi 1881-1882*, in *Opere*, cit., 1965, vol. V, 2.

–, *Die fröhliche Wissenschaft* (1882); tr. it. *La gaia scienza*, in *Opere*, cit., 1965, vol. V, 2.

–, *Also sprach Zarathustra. Ein Buch für Alle und Keinen (1883-1885)*; tr. it. *Così parlò Zarathustra. Un libro per tutti e per nessuno*, in *Opere*, cit., 1973, vol. VI, 1.

–, *Jenseits von Gut und Böse. Vorspiel einer Philosophie der Zukunft* (1886); tr. it. *Al di là del bene e del male. Preludio di una filosofia dell'avvenire*, in *Opere*, cit., 1972, vol. VI, 2.

–, *Zur Genealogie der Moral. Eine Streitschrift* (1887); tr. it. *Genealogia della morale. Uno scritto polemico*, in *Opere*, cit., 1968, vol. VI, 2.

Nozick, R., *The examined Life* (1989); tr. it. *La vita pensata. Meditazioni filosofiche*, Mondadori, Milano 1990.

Omero, *Iliade*, Einaudi, Torino 1982.

Pasini, W., *Gelosia. L'altra faccia dell'amore*, Mondadori, Milano 2003.

Platone, *Simposio, Fedro, Repubblica*, in *Tutti gli scritti*, Rusconi, Milano 1991.

Proust, M., *À la recherche du temps perdu* (1913-1923): *La prisonnière*; tr. it. *Alla ricerca del tempo perduto: La prigioniera*, Mondadori, Milano 1983-1989, vol. III.

Rougemont, D. de, *L'amour et l'Occident* (1939); tr. it. *L'amore e l'Occidente*, Rizzoli, Milano 1977.

Rousseau, J.-J., *Julie ou la nouvelle Héloise* (1761); tr. it. *Julie o la nuova Eloisa*, in *Opere*, Sansoni, Firenze 1972.

–, *Les confessions* (1782); tr. it. *Le confessioni*, in *Opere*, cit.

–, *Émile ou de l'éducation* (1792); tr. it. *Emilio o dell'educazione*, in *Opere*, cit.

Rusconi, M., *Amati amanti. Liberazione sessuale e nuove coppie*, Marsilio, Venezia 1998.

Sade, D.-A.-F. de, *Les 120 Journées de Sodome, ou l'École du libertinage* (1785); tr. it. *Le centoventi giornate di Sodoma*, Newton Compton, Roma 1983.

–, *L'histoire de Juliette* (1797), in *Œuvres complètes*, Cercle du Livre Précieux, Paris 1967, vol. IX.

Salzmann, Ch. G., *Über die heimlichen Sünden der Jugend* (1787); tr. it. antologica: *Dei peccati segreti della gioventù*, in L. Lütkehaus, *La solitudine del piacere. Scritti sulla masturbazione*, cit.

Sartre, J.-P., *L'être et le néant* (1943); tr. it. *L'essere e il nulla*, il Saggiatore, Milano 1966.

Scheler, M., *Über Scham und Schamgefühl* (1933, edizione postuma); tr. it. *Pudore e sentimento del pudore*, Guida, Napoli 1979.

Schopenhauer, A., *Die Welt als Wille und Vorstellung* (1819); tr. it. *Il mondo come volontà e rappresentazione*, Mursia, Milano 1969.

Semerari, F., *Amore e alienazione. L'amore-passione in Nietzsche e Proust*, in F. Semerari (a cura di), *Amore. Itinerari di un'idea*, Schena Editore, Fassano 1996.

Shakespeare, W., *Othello* (1604-1606); tr. it. *Otello*, in *Teatro*, Mondadori, Milano 1976.

Simmel, G., *Philosophie des Geldes* (1900); tr. it. *Filosofia del denaro*, Utet, Torino 1984.

Sommers, P. van, *Jealousy* (1988); tr. it. *La gelosia*, Laterza, Bari 1991.

Stendhal, *De l'amour* (1822); tr. it. *L'amore*, Mondadori, Milano 1980.

–, *Le rouge et le noir* (1830); tr. it. *Il rosso e il nero*, De Agostini, Novara 1982.

Stevens, W., *Sunday Morning* (1915); tr. it. *Mattino domenicale e altre poesie*, Einaudi, Torino 1954.

Tissot, S.-A.-D., *Tentamen de morbis ex manustupratione* (1758); tr. it. antologica: *Saggio sopra le malattie cagionate dalla masturbazione*, in L. Lütkehaus, *La solitudine del piacere. Scritti sulla masturbazione*, cit.

–, *De l'onanisme. Dissertation physique sur les maladies produites par la masturbation* (1760); tr. it. antologica: *Dissertazione sulle malattie che derivano dalla masturbazione*, in L. Lütkheaus, *La solitudine del piacere. Scritti sulla masturbazione*, cit.

Tolstoj, L., *Anna Karénina* (1875-1877); tr. it. *Anna Karenina*, Einaudi, Torino 1974.

–, *Krejcerova sonata* (1889); tr. it. *La sonata a Kreutzer*, in *Quattro romanzi*, Einaudi, Torino 1977.

Tommaso d'Aquino, *Summa theologiæ* (1259-1273), Editiones Paulinæ, Roma 1962.

Trevi, M., *Sesso, erotica, amore: una possibile geometria*, in AA.VV., *L'amore*, cit.

Turnaturi, G., *Tradimenti. L'imprevedibilità delle relazioni umane*, Feltrinelli, Milano 2000.

Yannaras, Ch., *Variazioni sul Cantico dei cantici* (1989), Interlogos, Schio 1994.

Zimmermann, J.G., *Warnung an Ältern, Erzieher und Kinderfreunde wegen der Selbstfleckung*, in G. Baldinger (a cura di), *Neues Magazin für Ärzte*, Leipzig 1779, pp. 43-51.

Indice degli autori

Le parole dell'amore

Indice